\すぐできる!/ \よくわかる!/

ビジネスに活かせる

Canva 入門

| キャンバ |

和モダンホテル
SHIRAKABA

LC
LAURA COACH
DEVELOPMENT

デザインビギナーからプロまで使える
無料デザインツール
Canva がスゴイ！

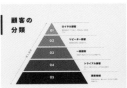

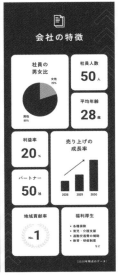

Point 01　無料でさまざまな機能を利用できる！

Canvaは無料登録で、さまざまなデザインテンプレートを利用できます。有料会員になると、すべてのテンプレート、フォントなどが利用できますが、無料会員でも大きな利用制限はありません。

デザイン制作・写真編集・動画編集

プレゼンテーション／文書／チラシ／ポスター／SNS投稿画像／ブログ画像／ウェブバナー／名刺／フライヤー／ロゴ／プレゼント／カレンダー／レジュメ／ギフト券／グラフ／メニュー／教育関連／ウェディング／名刺／グッズ制作……etc.

Point 02　60万種類以上のテンプレートで楽々！

世の中にあるほぼすべてのデザインのテンプレートが存在します。テンプレートをベースに制作するので、ゼロからのデザインではなく、写真や文字の入れ替えだけで、あっという間にプロ並みのデザインができあがります。

Point 03　ネットさえ繋がればどこでも同じ作業が可能！

ブラウザベースのツールとなっているので、インターネットにさえ繋がっていれば、WindowsでもMacでもタブレットでもスマホでも作業ができます。

Index

CHAPTER 01
Canvaをはじめよう

CHAPTER 02
プレゼン資料制作

Index

CHAPTER 04
SNS画像&動画制作

CHAPTER 05
プリントデザイン制作

CHAPTER

01

Canvaをはじめよう

Canvaは、1億人ものユーザーがいるオールイン
ワンのデザインスイートです。まずは無料会
員としてのユーザー登録から、基本的な画面構
成までを学びましょう。

01

登録・アカウントの作成は完全無料

Canvaに登録する

まずはCanvaにアカウントを作成します。無料で利用できるので安心して登録してください。新規登録はパソコンからでもスマホからでも可能です。Canvaの Webサイトにアクセスして、指示通りに進めていきましょう。

01 CanvaのWebサイトにアクセスする

パソコンでWebサイトにアクセスしたら「無料で登録する」か「登録」をクリック。スマホの場合は「無料で登録する」か「ログイン」をタップして次のステップに進みます。

02 GoogleかFacebookかメールアドレスで登録

パソコンもスマホも同じス
テップで進みます。ここで
はパソコンの場合で解説
していきます。Googleか
Facebookかメールアドレ
スでの登録を案内するポッ
プアップが表示されます。

03 Googleアカウントでログイン

ここでは、Googleアカウ
ントでログインします。
Googleアカウントのメー
ルアドレスとパスワードを
入れるだけで登録（連携）
が完了します。Facebook
など他のアカウントも同様
の手順となります。

Check 登録方法は全部で8種類

01の登録ポップアップの下段で「別の
方法で続ける」を選択すると、「Apple」
「Google」「Facebook」「Microsoft」
「Clever」「メールアドレス」「仕事用メー
ルアドレス」「モバイル」の選択肢が表
示されます。これらの手段でも簡単に登
録が可能となっています。

02 ネット環境さえあれば、どこでもデザイン！
Canvaにアクセスしよう

無料登録が終わったらCanvaのWebサイトにアクセスしましょう。ホーム画面は
デザイン作業をするためのポータルサイトになっています。ネットサーフィンを
するような感覚で、さまざまなアプリ・機能・デザインツールへアクセスするこ
とができます。

Canvaホーム画面

A 解説・説明エリア

メニューをクリックする
と、各制作物のテンプレー
トやチュートリアルが表示
さます。「≡（ハンバーガー
メニュー）」をクリックす
るとサイドメニューが非表
示になります。

B サイドメニュー

制作したいジャンルや制作
途中の自分のデザインな
ど、制作画面にすばやく切
り替えることができます。

C Canva内検索

検索窓にキーワードを入れ
ると、テンプレートなどが
表示されます。検索対象は
Canva内のものだけです。

D アイコンアクセス

ジャンルアイコン。クリッ
クすると直下に小ジャンル
が表示され、選択するとデ
ザイン編集に移動します。

E 設定エリア

Windows 用 ／ iOS 用、
Andoroid 用のアプリへのダ
ウンロード／アカウント設
定／お知らせへのアクセス。

01 Canvaの基本的な流れを理解しよう

Canva最大の特徴は、その豊富な
デザインテンプレートと素材。手順
としては、まず制作したいジャンル
を選択して、そのジャンルのテンプ
レートを選び、デザインを始める、
といった流れになります。

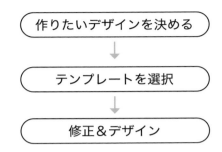

02 デザインするジャンルを選ぼう

Cの検索窓にデザインしたいジャ
ンルを入力してみましょう。自動
的におすすめのテンプレートやデ
ザインの種類が表示されます。も
しくはDのボタンアイコンから
ジャンルの選択でもOK。

03 テンプレートから気に入ったものを選ぶ

Canva公式のテンプレートだけ
でなく、世界中の投稿者が用意
したテンプレートが表示されま
す。「プロ」マークがついている
ものは有料ユーザーしか利用できませ
ん。

03 無数のデザインから目的のものを探す
テンプレートの探し方①

前ページでは検索窓からのテンプレートの探し方を紹介しました。ここでは、ネットサーフィンをするようにブラウジングしながらテンプレートを探していくやり方を解説します。

01 ホーム画面のサイドパネル「テンプレート」を選択

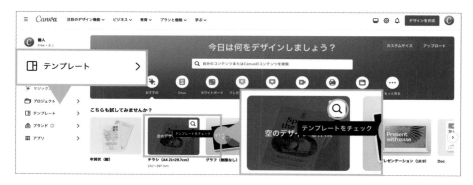

ホーム画面、左側のサイドパネルの「テンプレート」をクリックしましょう。アイコンエリアからは、デザインジャンルの写真にマウスオーバーすると右上に表示される「虫眼鏡アイコン」をクリックしてテンプレートをチェックします。

02 テンプレートメニューが拡張表示される

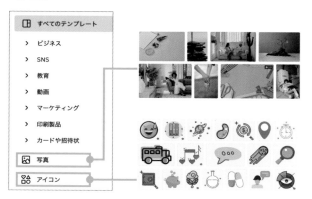

サイドパネルが開き「すべてのテンプレート」メニューが表示されます。ここからテンプレートを選択しましょう。なお、写真素材やアイコン素材もここからアクセス可能です。

03 ビジュアルを確認しながら、テンプレートを探す

サイドパネルから「ビジネス>チラシ」を選択した画面です。膨大なデザインテンプレートが表示されます。デザインを見ながら探すことができます。目的のデザインがある場合は、フィルターをかけて絞り込みをしましょう。

A すべてのフィルター

B〜Gのすべてのフィルターをサイドパネルで設定できる。

B フォーマット

- ☐ 縦 (6.6万)
- ☐ 横 (7千)

縦か横かで絞る。

C スタイル

- ☐ モダン (4.4万)
- ☐ ミニマリスト (2.4万)
- ☐ シンプル (1.3万)

スタイルで絞る。

D テーマ

- ☐ ビジネス (1万)
- ☐ ブラック (1.2万)

テーマで絞る。

E おすすめ

- ☐ アニメーション (140)
- ☐ 動画 (68)
- ☐ オーディオ (3)

おすすめの案内。

F 価格

無料版	Pro

無料ユーザー向けか有料ユーザー向けかで絞る。

G カラー

デザインの色味で絞る。

04 無数のデザインから目的のものを探す
テンプレートの探し方②

01 気に入ったテンプレートにはスターを付ける

テンプレートを見ながら選んでいきます。無数のテンプレートがあるため、気に入ったものに「スター」を付けてブックマークしておきます。テンプレートの右上に表示される☆をクリックしましょう。

02 サムネイルをクリックで拡大表示

テンプレートのサムネイルをクリックすると、詳細画面がポップアップします。ここでもスターを付けることができます。「このテンプレートをカスタマイズ」をクリックするとデザイン編集画面に移行します。

03 写真をドラッグ&ドロップしていく

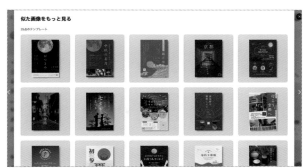

ポップアップ画面の下段
では「似た画像をもっと
見る」が表示され、デザ
インテイストが似通った
ものが表示されます。

04 「このテンプレートをカスタマイズ」でデザイン編集

「このテンプレートをカ
スタマイズ」をクリッ
クするとデザイン編集
画面となります。

Check → 20ページ

05 気に入ったテンプレートは「スター」を付けて管理

スターを付けておくと、デ
ザイン編集画面の左にある
サイドパネルに「スター付
き」のボタンが現れます。
これをクリックすると、ス
ターをつけたテンプレート
や素材がサイドパネルに表
示されます。

05 Pro用／有料素材使用のテンプレートを使う
テンプレートの基礎知識

13ページでは検索窓から「写真コラージュのInstagramの投稿」を選択しました。ずらりと並んださまざまなテンプレートが表示されますが、各テンプレートの右下に「¥」マーク、「王冠」マークのものがあります。無印のものは無料で利用できますが、マークの付いたテンプレートは下記の通り注意しましょう。

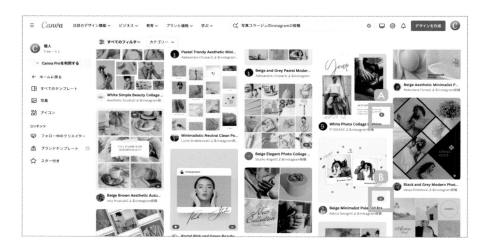

A △ 有料素材の含まれているテンプレート

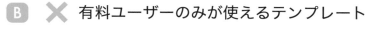

有料素材を削除すれば無料ユーザーも利用OK

テンプレートにCanva提供の有料素材が含まれています。無料ユーザーはこの有料素材を削除すれば無料で利用できます。

B ✕ 有料ユーザーのみが使えるテンプレート

無料ユーザーや利用NG

このマークはPro用テンプレートで、有料会員のみが利用できるテンプレートです。無料ユーザーは利用できません。

01 有料素材を削除して無料でテンプレートを使う方法

有料素材が含まれているテンプレートを「ダウンロード」しましょう。「共有」からでも、「ファイル」からでも、他の手順からでも構いません。

02 ダウンロード時に有料素材を指摘される

ダウンロードしようとすると、プレミアムコンテンツ（有料素材）が含まれていることが警告されます。

03 テンプレートから有料素材を削除する

指摘された有料素材を Canva のデザイン編集で削除してください。削除後は写真を差し替えましょう。これで有料素材は含まれていないので、無料でテンプレートを利用することができます。

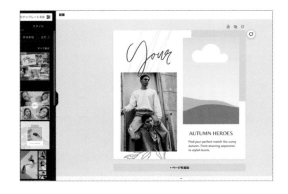

06 直感的に操作できる Canvaのデザイン編集画面

ホーム画面からテンプレートを選択すると、デザイン編集画面に移行します。この画面上でテキストのや写真の差し替え、色の変更などのデザイン作業をしていきます。サイドパネルで写真などの素材を選択して、編集エリアに置いていくといったイメージでデザインしていきます。

1 **ホーム** ホーム画面に移動　2 **ファイル** ファイル関連の設定　3 **マジック変換** 有料の変換機能
4 **取り消し／やり直し** 作業を戻す／進める　5 **デザイン名** 表示デザインのタイトル　6 **共有** 共有設定

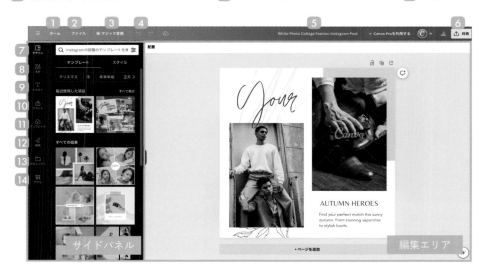

7 **デザイン**	テンプレートやスタイルなどを検索、表示する
8 **素材**	図形、グラフィック、写真、AI画像生成などデザイン素材を表示する
9 **テキスト**	テキストボックスの追加、テキストスタイルの設定、フォントの組み合わせ
10 **ブランド**	有料機能。フォント、色、ロゴなどを設定してデザインを統一する
11 **アップロード**	ファイルをCanvaにアップロードする。画像、動画、音声がアップロード可能
12 **描画**	ペンツールを使ってデザインに手描きの線などを書き込む
13 **プロジェクト**	制作したデザインなどを表示しアクセスできる。フォルダー管理も可能
14 **アプリ**	AIツール、QRコード作成などさまざまなアプリと連携ができる

1 ホーム

「ホーム」を押すと、ホーム画面に戻ります。ワンクリックで戻るため、作業時に誤ってクリックしてしまわないように要注意。

2 ファイル

デザイン名の変更
テンプレートを開くと初期状態ではテンプレート名が表示されていますが、デザイン名を変更できます。

ファイルのインポート
写真、文書、ファイル、動画などをアップロード。

フォルダーに保存
フォルダーを新規作成して制作したデザインや、制作途中のデザインを整理することができます。

ダウンロード
デザインを画像やPDFにしてダウンロードできます。

3 マジック変換 👑Pro

Pro版の有料ユーザー専用機能

「サイズを変更」ではデザインのサイズをInstagramサイズなど特定フォーマットサイズに変更。「翻訳」ではテキストを各言語に翻訳。「Docに変換」では、デザイン上の文章の要約や、すべてのテキストの書き出しなどを自動的に行ってくれます。

4 取り消し／やり直し

ボタンをクリックで、作業中の作業をひとつ前に戻す「取り消し（undo）」、ひとつ先に進める「やり直し（redo）」となります。

5 デザイン名

テンプレートを選択してデザインを開始した場合は「テンプレート名」が表示され、新規で制作した場合は「名称未設定のデザイン」となります。このままでは分かりにくいので変更しましょう。タイトルをダブルクリックして、入力するだけOKです。

6 共有

コラボレーションリンク

コラボレーションリンクで「リンクを知っている全員」を選択し、「リンクをコピー」でリンクを取得。そのURLをメールなどで教えると、Canvaユーザーでない人にもデザイン共有、共同編集ができます。

ダウンロード

デザインを画像やPDFにしてダウンロードできます。

7 デザイン

デザイン編集画面を開くと、初期状態で開いているサイドパネル。他の同ジャンルテンプレートなどが表示されます。検索窓でテンプレートを検索することが可能です。

8 素材

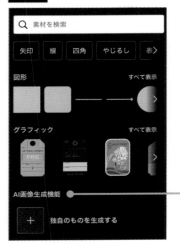

Canvaで使用できるさまざまな素材が表示されます。矢印や線などの図形、グラフィック、表、グラフ、写真、動画など無数にあるので、一番上の検索窓を利用して検索にかけましょう。ここで素材を選択して、デザインに反映させることで制作していきます。

AI画像生成機能

生成したい画像を日本語で指定するだけで、AI画像生成が可能です。

Check → 134ページ

9 テキスト

「テキストボックスを追加」をクリックすると、デザインに新しい文字ボックスを配置。文字を打ち込むことができます。また「フォントの組み合わせ」という、あらかじめフォントを組み合わせているデザインセットも表示されます。

Check → 50ページ

10 ブランド 👑Pro

Pro版の有料ユーザー専用機能

「ブランドキット」と呼ばれる設定をすると、ロゴ、フォント、色などを保存でき、すべてのデザインでトンマナを共有。デザインの統一感を出すことができます。

⑪ アップロード

「ファイルをアップロード」をクリックすると、画像、動画、オーディオ、その他ファイルをアップロードできます。下段でアップロードしたファイルが表示されます。「…」をクリックすると各種サイトとの紐付けをすることが可能です。

⑫ 描画

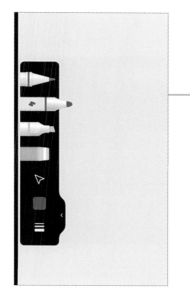

選択するとデザイン編集エリアに、ペンツールが表示されます。サインペンやマーカーなどを使って、デザインに手描き要素を加えることができます。

13 プロジェクト

デザインがまとめて表示され、管理・削除ができます。各デザインをマウスオーバーすると、左上にチェックボックスが表示されます。ここにチェックを入れ、複数選択してから最下段に表示されたフォルダーマークを選択するとフォルダーにまとめて移動。ゴミ箱マークを選択でゴミ箱に移動となります。

14 アプリ

連携アプリの一覧が表示されます。検索窓からアプリ名やキーワードで検索可能です。各サイトとの連携アプリをはじめ、AI活用ツールが多数用意されています。これらのツールを活用することで、もっと便利で簡単にデザイン制作ができるようになります。

Check → 38/76/104/122ページ

07 デザインの基礎操作
デザインの基礎は整列と配置

デザインの基礎はいろいろな素材の配置です。Canvaで文字、写真、背景、図形などのデザイン素材を美しく配置するための基本操作を覚えましょう。他のデザインツールやアプリと同様の操作方法ですので、他のツールに慣れている方は今までの使い勝手と同じように使用できます。

Point 01 デザイン素材の水平移動

Mac／Win

 を押しながらマウスでドラッグ

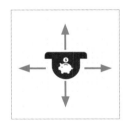

デザイン素材を上下左右に水平移動させたい場合は、Macintosh、Windowsともにshiftキーを押しながら素材をドラッグします。

Point 02 デザイン素材の移動コピー

Mac

 を押しながらマウスでドラッグ

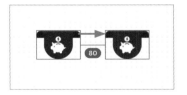

Win

Alt を押しながらマウスでドラッグ

デザイン素材をコピーしたい場合は、素材を選択して各OSの対応キーを押しながらドラッグしてマウスのボタンを離します。複数選択してのすべてをコピーしたり、shiftキーを押しながら水平移動させながらのコピーも可能です。またCanvaでは上の写真のように素材の距離などが表示されます。

Point 03 デザイン素材の整列

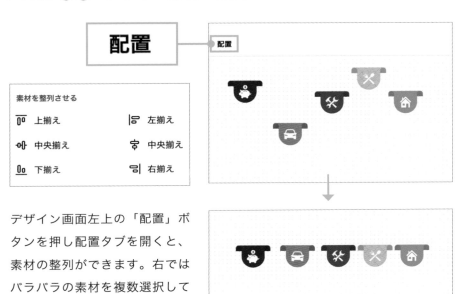

素材を整列させる

上揃え		左揃え	
中央揃え		中央揃え	
下揃え		右揃え	

デザイン画面左上の「配置」ボタンを押し配置タブを開くと、素材の整列ができます。右ではバラバラの素材を複数選択して「下揃え」ボタンを押して整列させています。

Point 04 デザイン素材の均等配置

均等配置

垂直に	水平に
整列する	

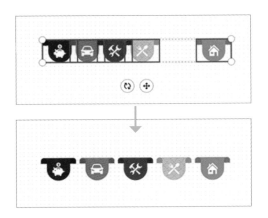

整列と同じエリアに均等配置ボタンも表示されます。右は複数選択をして「水平に」配置ボタンを押して配置しています。

27

08 デザインの基本はレイヤー構造
「レイヤー」をマスターしよう

デザイン制作は、文字、写真、背景、図形などすべての素材がひとつひとつ分かれており、最前面となる一番上から、一番下となる最背面まで順番に表示されます。これをレイヤー構造と言います。Canvaでは「配置」から「レイヤー」を表示できます。このレイヤーの理解が、デザイン制作の必須事項になります。

「レイヤー」とは素材の重なり構造のこと

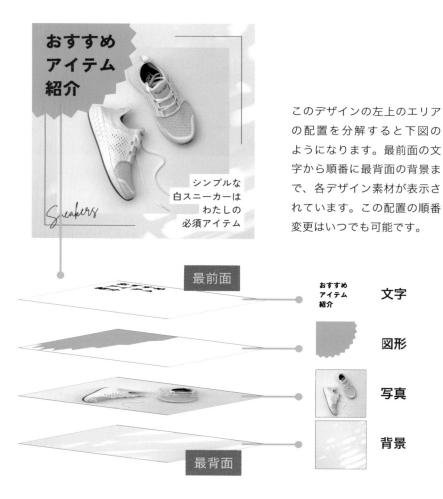

このデザインの左上のエリアの配置を分解すると下図のようになります。最前面の文字から順番に最背面の背景まで、各デザイン素材が表示されています。この配置の順番変更はいつでも可能です。

28

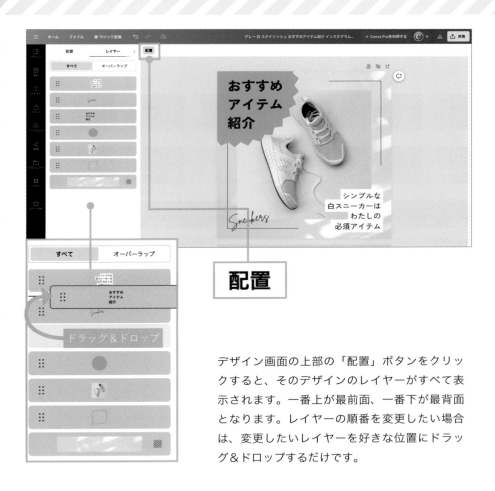

配置

デザイン画面の上部の「配置」ボタンをクリックすると、そのデザインのレイヤーがすべて表示されます。一番上が最前面、一番下が最背面となります。レイヤーの順番を変更したい場合は、変更したいレイヤーを好きな位置にドラッグ＆ドロップするだけです。

Point　オーバーラップを活用しよう

レイヤー構造を把握したい素材を選択してから「配置」をクリック。「オーバーラップ」を選択すると、その部分のレイヤー構造だけを表示してくれます。

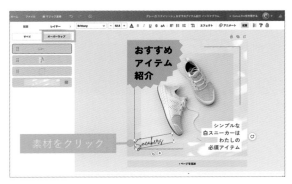

09 オリジナルの写真などをデザイン素材にする
素材をアップロードする

Canvaのサーバーに自分の所有している写真などの各種ファイルをアップロードすることで、デザイン素材として利用できるようになります。ファイルのアップロード方法はいくつかありますが、ここではホーム画面からのアップロード方法を紹介します。

Check → 24ページ

01 トップページの「アップロード」ボタンから

❶「アップロード」をクリック

❷ファイルを選択 or ドラッグ＆ドロップ

02 「プロジェクト」からアップロードしたファイルへ

ホーム画面の「プロジェクト」をクリックすると、アップロードしたファイルが、カテゴリー分けされて表示されます。

Point 01　アップロード可能なファイル一覧

□画像　JPEG／PNG／HEIC／HEIF／WebP
サイズ：25MB未満／合計1億ピクセル以下（幅×高さ）

□Vector画像　SVG／AI
SVG……サイズ：3MB未満／幅150から200ピクセルまで／「SVG 1.1」のSVGプロファイル
AI（Adobe Illustrator）……サイズ：30MB以下／レイヤー・グラデーション・マスクがないファイル

□オーディオ　M4A／MP3／OGG／WAV／WEBM　サイズ：250MB以下

□動画　MOV／GIF／MP4／MPEG／MKV／WEBM
サイズ：1GB未満　※無料ユーザーは、ファイルが250MB〜1GBだと圧縮必須
アップロードできない動画形式：GIF以外の背景が透明な動画

□フォント
OpenTypeフォント（.otf）、TrueTypeフォント（.ttf）、Web Open Font Format（.woff）
Canva Pro、Canva for Teams、Canva for Education、およびCanva for NPOのユーザーのみ

□PowerPoint
サイズ：70MB以下／pptx形式のPowerPointファイルのみサポート
グラフ、SmartArt、グラデーション、3Dオブジェクト、WordArt、表、パターンの塗りつぶしがない

□Word文書　.doc／.docx
サイズ：100MB未満／.docxファイルのコメントもCanvaにインポートされる

□PDFファイル　サイズ：100MB／最大300ページ
PDFは各ページがA4文書の画像になり、編集可能なテキストのページにはならない。

Point 02　ファイルはサイドパネルからもアクセス可能

アップロードしたファイルは、デザイン編集画面のサイドパネルの「アップロード」ボタンからもアクセスできます。ここから画像などをデザイン画面にドラッグ＆ドロップも可能です。

10 デザインの基本はレイヤー構造
写真のフレーム配置

テンプレートに初期状態で貼られている写真を削除すると、雲と草原のイラスト
が出現することがあります。これは「フレーム」で構成された写真貼り付けエリ
ア。ここに新しく写真をドラッグ＆ドロップすることで、フレーム内に新しく写
真を挿入することができます。

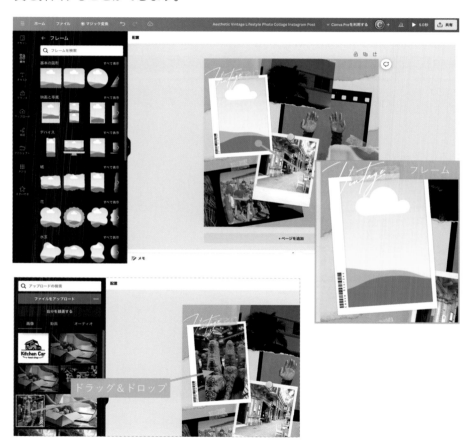

差し替える写真はCanvaで提供されている素材の写真か、自分でアップロードし
た写真となります。Canva上からフレーム内に写真をドラッグ＆ドロップすれば
差し替えが反映されます。

01　新しくフレームを追加する

サイドパネル「素材」を選択
し、フレームをクリック。さ
まざまな形状のフレームが表
示されるので好みのフレーム
を選択しましょう。

02　フレームに配置した写真をダブルクリックで調整

写真をドラッグ＆ドロップして差し
替えた後に、写真部分をダブルク
リックすると、大きさや写真の表示
位置をドラッグで設定できます。

Point　多数あるフレームを使いこなそう

四角や丸といったオー
ソドックスなものか
ら、パソコンやアル
ファベット、数字など
多数のフレームが用意
されています

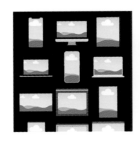

11 写真を美しく配置する
写真のグリッド配置

複数の写真を美しく配置できるのが「グリッド」です。2枚〜16枚まで均等なタイリング配置だけでなく、写真サイズにメリハリが利いたものまで用意されています。素材から「グリッド」を選択し、配置したい写真をドラッグ＆ドロップするだけで簡単に美しいデザインが完成します。

01 サイドパネル素材から「グリッド」を選択

素材から「グリッド」を選択します。たくさんの配置テンプレートが表示されるので、ひとつ選びましょう。

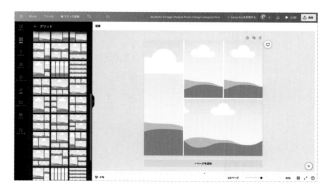

02 写真をドラッグ＆ドロップしていく

配置していく写真を
ドラッグ＆ドロップ
していきます。

03 グリッドをクリックしてグリッドごと自由配置

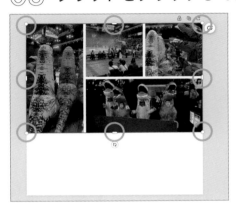

写真の配置後にグリッドそのものを拡
大・縮小させることが可能です。8ヶ所
にあるハンドルを自由にドラッグしてみ
ましょう。配置した写真そのものの比率
が変わることがないので、違和感なく配
置ができます。

04 グリッドの間隔を調整する

グリッドを選択すると、上部
に「間隔」ボタンが表示さ
れます。ここをクリックする
と写真間の間隔を調整できま
す。グリッドの間隔をゼロに
すると、写真のように隙間な
く配置できます。

12 デザインのオンライン共有

Canvaユーザーじゃなくても誰とでも共有OK

Canvaで制作したデザインは、簡単な設定でいろいろな人と共有することができます。デザインを共有された人はCanvaユーザーでなくても、Canvaの機能を使って直接デザインを編集・修正することができる、という大変使い勝手のよい機能です。

01 「共有」ボタンをクリック

共有するデザイン編集画面の上部メニュー右上にある「共有」ボタンをクリックします。

02 コラボレーションリンクの設定

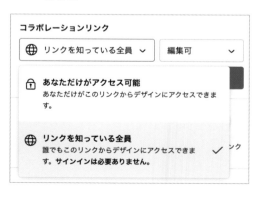

アクセスできるメンバーの設定も可能ですが、その下の「コラボレーションリンク」がシンプルでおすすめ。まずは左側のプルダウンリストから「リンクを知っている全員」を選択します。

03 表示のみ／コメントのみ／編集可能の共有設定

次に「表示可（表示だけ可能）」「コメント可（表示とコメントが可能）」「編集可（編集が可能）」の3種類からアクセス権限を選択します。選択したら「リンクをコピー」をクリック。クリップボードにリンクURLが保存されているので、共有相手にメールなどにペーストして伝えるだけでOK。

04 共有リンクをクリックするとデザイン編集画面に

右側はリンク先をブラウザーに入力した非Canvaユーザーの画面。権限は「編集可」です。英語版の表示ですが、テキストの変更や素材の追加などの編集作業ができるようになっています。

05 権限の変更はいつでも可能

共有している場合は、リアルタイムでアクセス状況が右上のアイコンで分かります。非Canvaユーザーは動物名と動物のアイコン。Canvaユーザーと共有した場合は、アイコンとユーザー名が表示されます。アイコンをクリックすると、各々の権限も分かります。また、このアクセス権限は03の手順でいつでも変更可能です。

QRコードを簡単作成
QRコード

カラーをカスタムできるQRコードを作成してくれるアプリです。使い方はいたってシンプル。URL欄にリンクさせたいアドレスを入力して「コードを生成」ボタンをクリックするだけです。カラーも自由にカスタマイズ可能です。

フォト／ドライブ／Mapと連携
Google連携アプリ

Googleフォト、Googleドライブ、Google Mapと連携する3種類のアプリ。アプリを選択して「紐付ける」ボタンをクリックすると、Googleアカウントへのログイン画面になり、ここからアクセス許可を設定すると連携できます。

CHAPTER

02

プレゼン資料制作

プレゼンテーション資料制作をチュートリアル
形式で解説します。ここでは基礎的なデザイン
制作テクニックを網羅しています。まずはこの
チャプターからはじめましょう。

01

プレゼンテーションの基本

プレゼン資料のデザイン制作からプレゼン発表・配信まで、Canvaですべて行うことができます。「プレゼンテーション」というジャンルから、自分が制作したいプレゼン資料のテンプレートを使って制作していきましょう。

Canvaのプレゼン資料制作の手順

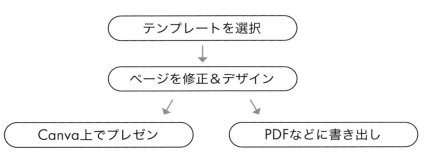

どのデザインでも同じような手順となりますが、まずは好みのテンプレートを選びましょう。真っ白からの制作も、もちろん可能ですが、Canva にある無数のデザインテンプレートには、あなたの思うようなデザインがきっと存在します。

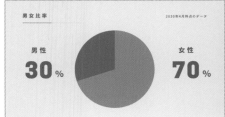

01 デザインしたいジャンルを選ぶ

ホーム画面からデザインの種類を選びます。今回は「プレゼンテーション」。アイコンエリアをクリックすると、下部にプレゼンテーションがサイズ違いで複数表示されます。

作成するプレゼン資料のサイズを選択できます。今回はもっとも一般的な「プレゼンテーション（16：9）」を選択します。

02 デザイン名を入力する

新しいウインドウ（タブ）が開きます。初期状態は「名称未設定のデザイン」となっているので、上部のデザイン名エリアにタイトルを入力しましょう。今回は「テストデザイン」にします。

02 テンプレートを選ぶ

01 テンプレートの選び方

プレゼンテーションのテンプレートから、下敷きにしたいものを選択します。Ａの検索窓にキーワードを入力すると、Ｂのエリア（サイドパネル）にテンプレートが一覧表示されます。気になるテンプレートをシングルクリックすることでＣに大きく表示されます。Ｄは制作するプレゼンテーションの各ページの閲覧エリアです。

Ａ 検索窓

テンプレート検索することができます。検索窓右端のボタンで、検索するテンプレートの「カラー」と言語を絞り込むことができます。

Ｂ テンプレート

テンプレートには有料会員向けの「Pro版」があります。サムネイルの右下に 👑 のマークがあるものは無料会員では利用できません。

Ｃ ページ編集エリア

ページをデザイン＆編集するメインのエリア。テンプレートを選ぶ際の拡大表示もここになります。

Ｄ ページ構成エリア

プレゼンテーションは複数ページで構成されます。このエリアで全体のページ構成を確認できます。

02 気に入ったテンプレートを選択する

テンプレートを選択して、各ページをチェックしてみましょう。下敷きにしたいものが見つかったら、「10ページすべてに適用」をクリックします。

03 すべてのページをテンプレートと差し替える

「すべてのページをテンプレートと差し替えますか?」というウインドウが出現するので「すべてのページを差し替える」を選択します。

04 テンプレートのすべてのページが挿入される

編集画面の下段、ページ構成エリアに、新規のページが追加されていることを確認しましょう。

03 デザイン制作の基礎：STEP03
デザイン配置エリアを拡大する

01 デザイン制作を始める前に配置エリアを広げる

デザイン制作しやすい環境を作りましょう。デザインテンプレートと配置エリアの境目のタブをクリックすれば、素材エリアが非表示となり、作業領域が拡大します。頻繁に使うテクニックですのでショートカットキーを覚えることをおすすめします。

テンプレートなどの素材が表示されているエリアとの境目に「＜」と表示された小さなタブがあるので、クリックします。

テンプレートなどが表示されていたエリアが非表示になり、作業領域が拡大します。

Point ショートカットを使いこなそう

Canva の操作はショートカットキーでさらに便利になります。よく使う項目は覚えておきましょう。今回のエリア非表示のショートカットは右の通りです。

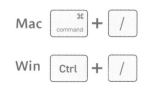

04 文字の変更

01 変更したい文字を選択する

続いて、テンプレートに書かれている文字を自由に変更します。変更したい文字を選択します。

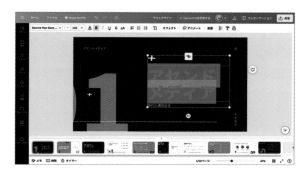

02 キーボードで自由に打ち替える

文字を打ち替えて「今後の方針」としました。改行が不格好な形で入っており、見苦しく感じます。

03 グループ化されている場合はグループ解除する

文字ボックスを拡大したいのですが、素材がグループ化されているため変更できません。クリックすると、「グループ解除」が表示されすので、クリックして解除します。

04 文字ボックスを自由に変更する

グループ化が解除されたの
で文字ボックスを自由変形
できます。辺をドラッグし
て、ボックスを伸ばし、改
行が反映されないようにし
ます。

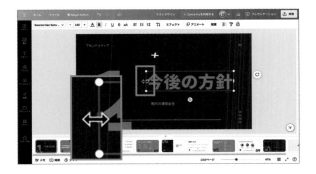

05 文字の色を変更してみる

テンプレートを利用してデザイン制作する場合は、元デザインのカラーバランスがある
ので、大きな色変更はおすすめできません。同系色や差し色を意識しましょう。

色を変更したい文字ボックスを選択し、上部にあるカラーボタンをクリックすると、全
体画面の左側のサイドパネルに色関連の設定ができるカラーエリアが表示されます。こ
のエリアからカラーを選択すれば文字色が変わります。

05 素材のグループ化

デザイン制作の基礎：STEP05

Check デザイン制作に必須のグループ化と解除

デザインパーツをまとめることで、その位置関係を変えることなく配置できるのが「グループ化」。さまざまなシチュエーションで使えるテクニックです。「グループ化」と「グループ解除」、ショートカットキーも覚えましょう。

方法01　ドラッグでグループ化したいパーツを選択する

グループ化　⊡

グループ化したいパーツをドラッグして選択。「グループ化」ボタンをクリックでグループ化。

方法02　パーツをshiftキーを押しながら選択する

グループ化　⊡

グループ化したいパーツを shift キーを押しながら複数選択。「グループ化」ボタンをクリック。

Point ショートカットを使いこなそう

Canva の操作はショートカットキーでさらに便利になります。よく使う項目は覚えておきましょう。グループ化関連のショートカットは下記の通りです。

	Mac		Win
グループ化	⌘ command ＋ G	グループ化	Ctrl ＋ G
グループ解除	shift ＋ ⌘ command ＋ G	グループ解除	shift ＋ Ctrl ＋ G

06 デザイン制作の基礎：STEP 06
文字の移動・大きさ変更

文字を任意の場所に移動させたり、文字の大きさをドラッグで拡大・縮小させたりしていきます。直感的な操作でデザインできるのでいろいろと試してみましょう。

01 全体ページ表示から2ページ目をクリックする

1ページ　2ページ

2ページ目の編集に移るので、全体ページ表示エリアから、2ページをクリックします。メイン配置エリアが2ページのデザインに変わります。

02 不要な文字を削除、文字を移動させる

不要文字を削除したいときは、文字を選択してゴミ箱アイコンをクリック（Win：Backspace/Mac：deleteキー）。また、文字ボックスを選択してドラッグすると、自由に移動できます。

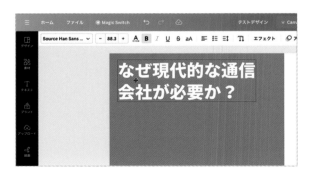

48

03　文字の拡大・縮小

大きさを変更したい文字を選択。四角い枠が表示されるので、四隅の頂点をドラッグすると拡大・縮小ができます。中央のボタンは文字ボックスの長さの変更です。

04　文字を回転させる

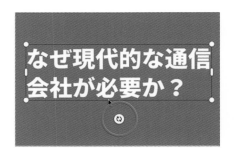 

文字を回転させ、角度をつけたい場合は、文字ボックスを選択すると下に表示される「回転ボタン」をクリックします。回転ボタンをクリックしたまま、左右にドラッグすると文字ボックスを回転できます。回転している角度も同時に表示されます。

07 デザイン制作の基礎：STEP 07
フォントの変更

Canvaではさまざまなフォントが準備されています。欧文フォントだけでなく、豊富な日本語フォントも魅力のひとつ。好みの字体を見つけましょう。

01 変更したい文字をクリックし、フォントを選択する

変更したい文字ボックスを選択し、上部のフォント名をクリック。左側のサイドパネルにフォント一覧が表示されるので、好きなフォントに変更してみましょう。

日本語フォントの形状から選ぶ
かなりの数のフォントがあるので、選ぶのは苦労するはず。しかし、このボタンをクリックすれば大まかな分類に絞ることができます。

フォントのウェイトを展開
「>」が付いているフォントは、同一フォント内に太さ（ウェイト）が違うものがあります。「>」をクリックして確認できます。

02 同じフォントにしたい文字ボックスを複数選択

フォントの変更は、別々の文字ボックスでも一度に別フォントに変更できます。shiftキーを押しながら変更したい文字ボックスを複数選択します。

03 複数の文字ボックスのフォントを変更

選択し終わったら、❷のフォント名をクリックして、フォントを選択して変更しましょう。複数のフォントが変更されます。

Check フォントサイズからの大きさ変更は要注意

❷のフォント名の右にある数字がフォントサイズです。ここに数値を入力、もしくは「ー」と「＋」でフォントサイズを変更できます。ただし、文字ボックスは拡大されません。文字ボックスの大きさに合わせて右写真のように強制改行となります。

08 文字の装飾

影をつけたり、袋文字にしたりと、文字に装飾を施すこともワンクリックで簡単にできます。いろいろと試してみてあなただけのオリジナルデザインに活かしましょう。

01 装飾したい文字をクリックし設定リボンを表示

テキストボックスを選択すると上部に表示されるのが、テキスト設定です。このリボンからテキストの装飾などが可能となります。特に「エフェクト」はワンクリックでさまざまなスタイル効果を文字につけることができる便利な機能です。

装飾前の文字
Goal achievement

Ａ 文字に下線を引く
Goal achievement

Ｂ 文字に打ち消し線を引く
~~**Goal achievement**~~

02 エフェクトを設定する

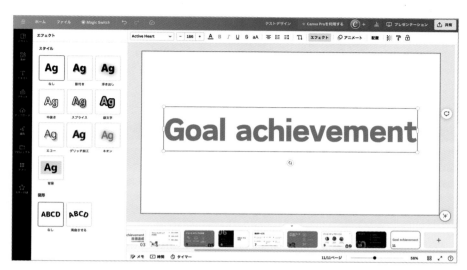

■ のエフェクトを選択すると左エリアにエフェクトスタイルが一覧表示されます。影の濃さなど各エフェクトの強さやカラーなどは、エフェクトを選択してから設定可能です。

エフェクトなし
Goal achievement

エコー
Goal achievement

影付き
Goal achievement

グリッチ加工
Goal achievement

浮き出し
Goal achievement

ネオン
Goal achievement

中抜き
Goal achievement

背景
Goal achievement

スプライス
Goal achievement

湾曲させる

袋文字
Goal achievement

09 フォントの組み合わせ

01 サイドパネルの「テキスト」をクリック

サイドパネルの「テキスト」ボタンをクリックすると、サイドパネル右側にテキストスタイルやフォントの組み合わせ、フォント一覧などが表示されます。

Check フォントの組み合わせとは

Canva に搭載されている「フォントの組み合わせ」とは、テーマに沿って、フォントの種類やサイズ、スタイルなどが設定された文字デザインのこと。

02 フォントの組み合わせを使用する

「フォントの組み合わせ」を選択
すれば、デザインエリアに貼り込
まれます。文字の内容は自由に打
ち替えることが可能です。また、
右上の「…（詳細ボタン）」をクリッ
ク、条件指定をすることで他の組
み合わせを検索表示できます。

03 挿入したいフォントをクリック

同じエリアに使用できる
フォントも表示されます。
選択したフォントの文字
ボックスが挿入されます
が、フォントサイズは12と
小さいので、サイズ調整は
必須です。

10 デザイン制作の基礎：STEP 10
ページを追加・削除する

01 「ページを追加」からページを増やす

全体ページをサムネイル表示しているエリアの一番右にある「ページを追加」をクリックすると、新しいページが追加されます。クリックするたびにページが増えていくので追加するページの数だけクリックしましょう。

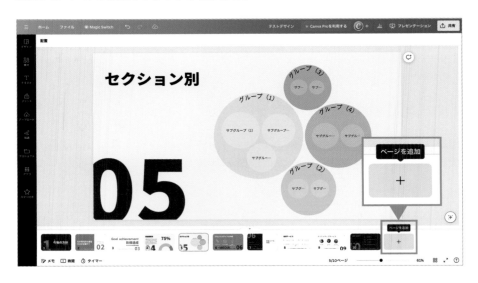

Attention 追加ページの背景色は直前のページを引き継ぐ

追加するページの背景色は、直前のページの色を引き継ぎます。今回であれば最終ページの 10 ページ目が黒色だったので、追加ページの背景色は黒色になりました。背景色の変更は左上のカラーボタンから。

02 途中のページを追加する場合

最終ページの後ろに追加するのではなく、途中でページを追加したい場合は、追加したい場所の前のページを右クリックします。メニューが表示されるので、「ページを追加」を選択しましょう。

真っ白のページ追加だけでなく、右クリックして選択したページを複製して追加することもできます。

右クリックしたページの背景が灰色だったため、ここでは背景が灰色のページが追加されました。shift を押しながらページを複数選択し、複数同時に複製することもできます。

03 グラフを挿入したページの完成

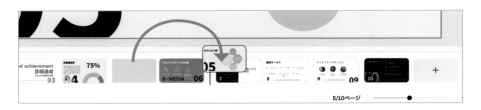

追加したページに限らずページの位置を移動させたい場合は、ページのサムネイルをドラッグして移動させたい場所にドロップすれば OK。複数のページを選択してまとめて移動させることも可能です。

11 デザイン制作の基礎：STEP 11
グラフの制作と挿入①

折れ線グラフや棒グラフからインフォグラフィックまで、数値を入力するだけで、さまざまな形式のグラフを制作できます。プレゼンテーションにはとても役立つ機能です。

01 「素材」から「グラフ」を選択する

サイドパネルの「素材」をクリックすると、右のエリアに写真やイラストなどさまざまなデザイン素材が表示されます。今回は「グラフ」を挿入したいので、下の方にスクロールして「グラフ」の「すべて表示」を選択します。

02 「インフォグラフィックのグラフ」を選択

今回のプレゼンテーションページに使用するのは「インフォグラフィックのグラフ」。右側の「すべて表示」をクリックすると、さまざまなインフォグラフィックグラフが表示されます。

03　グラフを好きな位置に置いて数値入力

使用したいグラフを選択す
ると、デザインエリアにグ
ラフが挿入されます。その
グラフをデザインに適した
場所にドラッグして配置し
ます。グラフの数値設定は
左側パネルから行います。

04　グラフの色を設定する

グラフの色や、グラフに項
目として記載する場合の
フォントの種類などは、上
部のリボンから設定ができ
ます。

05　グラフを挿入したページの完成

グラフの配置、グラフの設定
が終わればページの完成で
す。グラフなどはプレゼン資
料の要にもなるので、デザイ
ンにも留意しましょう。

12 グラフの制作と挿入②

01 数値を入力して「グラフ」を制作する

前ページでは簡易的なインフォグラフィックグラフでしたが、数値を入力したり他の表計算ソフトから読み込んで本格的なグラフを制作することもできます。ここで操作方法などを学んでおきましょう。

エクセル（CSV 形式）、Google スプレッドシートから数値データを直接取り込むことができます。

「データ表を展開」を選択すると、ポップアップウインドウが開きます。これでデータ表を広いエリアで編集可能です。また、ここからラベルの表示のオンオフもできます。

02 さまざまなグラフを使いこなそう

グラフと一口に言っても、さまざまな形状や用途があります。すべてを使いこなすのは難しいですが、内蔵されているグラフの種類を把握しておきましょう。

棒グラフ

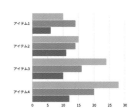

オーソドックスな棒グラフが
4種類用意されています。

線グラフと点グラフ

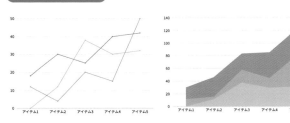

折れ線グラフ、積み上げ横棒グラフ、散布グラフがあります。

インタラクティブなグラフ

クリックすると、各グラフが拡大アニメーション表示されるインタラクティブなグラフです。プレゼンなどには最適。

円グラフ

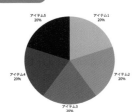

円グラフ、ドーナツグラフの2種類。用途に応じて使い分けましょう。

インフォグラフィックのグラフ

ピクトグラム、進捗グラフがあります。ピクトグラムはおすすめ。

他のグラフ

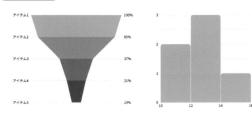

他のグラフというジャンル分けで、ヒストグラム、ファネルグラフがあります。

13 デザイン制作の基礎：STEP 13
表を作る

Canvaには表作成機能もあります。簡単にいろいろなデザインに合った表を作成できます。エクセルのような表計算ではなくデザインパーツとしての表組みとなります。さまざまなシチュエーションで活用しましょう。

01 サイドパネル「素材」から表を選択する

サイドパネルの「素材」から表を選びます。パネルに表のフォーマットが表示されるので好みのものをクリックしてデザインに反映させます。セルの色などは後ほど自由に変更できます。

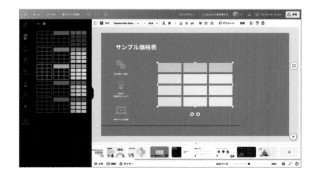

02 セルを右クリックで行・列を追加／セルの結合

セルを右クリックするとメニューが表示され、行・列を追加できます。shift を押しながら行・列を複数選択すると複数の追加、セルの結合が可能です。

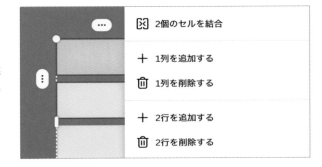

03 セルをクリックして文字を入力していく

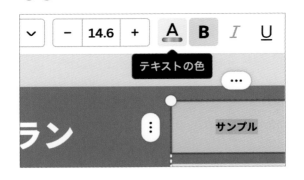

セルをクリックすると、セル内に文字を入力できます。通常の文字入力と同様にフォントの変更テキスト色の変更。太字処理などを行いましょう。

04 右クリックから行・列を入れ替え

行・列の入れ替えも右クリックメニューから。複数選択したセルを上下左右に入れ替えることもできます。

05 右クリックから行・列の高さを揃える

行・列を複数選択して、右クリック。行や列の高さを均等にして整えましょう。「サイズをコンテンツに合わせる」で、セル内の文字に合わせて各セルのサイズの自動調整もできます。

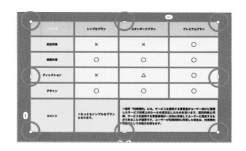

06 全体をドラッグして大きさなどを修正

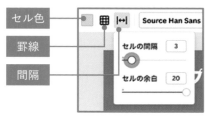

表全体のサイズは、ハンドルからドラッグして行います。拡大・縮小や幅の調整などを目視しながら行えます。

07 セル色・間隔調整で見栄えを整える

表全体を選択して、左上のアイコンでセル色、罫線、表のセル間隔などを調整できます。デザインに合ったものを制作しましょう。

14 リンクを設定する

プレゼン資料デザインをPDFやHTMLとして書き出したした際にクリックで飛べるようにURLやメールアドレスのの文字にリンクを設定します。

01 文字を選択してリンクボタンをクリック

文字を選択すると右のようなリンクボタンが表示されます。リンク先のURLを入力しましょう。

02 リンクを設定の文字に下線が引かれるので消す

リンク設定した文字には自動的に下線が引かれるので、上部の下線ボタンをクリックして下線を消します。

03 メールアドレスのリンクはmailto:

メールアドレスにリンクを設定する際には、クリックするとメーラーが自動起動し、mailto: というリンク設定が自動的に提案されます。

15 アニメーションをつける

デザイン制作の基礎：STEP 15

プレゼンテーションデザインに動きをつけて、より効果的なプレゼン資料にしましょう。
ページ全体にアニメーションを設定することも、個別の文字や表、写真などのデザイン
パーツにアニメーション効果を設定することも可能です。

ページ全体、テキスト、素材などを選択して、上部メニューの「アニメート」をクリック。サイドパネルに、さまざまなアニメーション効果が表示されます。

01 ページ全体を「ページのアニメーション」で設定

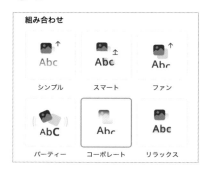

ページ全体を選択してから上部の「アニメート」をクリック。ページ全体のアニメーション効果が表示されます。クリックするとデザイン画面にアニメーションが反映され、実際の動きを目視しながら選べます。

02 文字は「テキストアニメーション」で設定

個別にアニメーションを設
定したい場合は、各素材ご
とに動きをつけます。テキ
ストを選択して「アニメー
ト」で「テキストアニメー
ション」設定となります。

03 素材は「素材のアニメーション」で設定

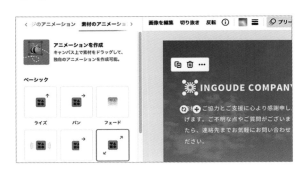

アイコンや写真などの素材を
選択して「アニメート」をク
リックで「素材のアニメー
ション」設定です。アニメー
ション効果を確認しながら設
定しましょう。

Point アニメーションの詳細設定はPro機能 👑 Pro

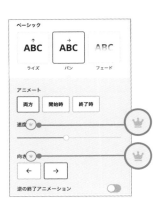

アニメーションの詳細な設定に関して
は Pro 機能となっています。アニメー
トの設定エリアで、王冠マークがつい
ているものは無料ユーザーでは設定で
きません。有料ユーザーであれば、同
じアニメートでも、速度や向きなど細
かい設定が可能になっています。

16

他ジャンルのテンプレート活用

Canvaには無数のテンプレートが存在します。プレゼン資料を制作しているからといって「プレゼンテーション」にあるテンプレートを使用する必要はありません。他のジャンルにあるテンプレートをコピー＆ペーストして、さらにデザイン性に優れたものを制作してみましょう。

Check プレゼンに転用しやすいテンプレート

ここに挙げているのは、プレゼン資料に転用しやすいデザインテンプレートのジャンル例です。ほかにもさまざまなテンプレートを見てみましょう。

ホワイトボード

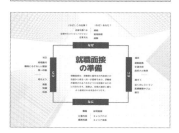

グラフ（制限なし）

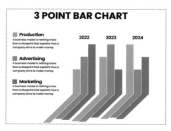

インフォグラフィック

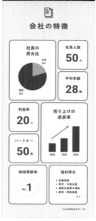

01 ホーム画面からデザインテンプレートを選択

ホーム画面から「プレゼンテーション」以外のテンプレートを探してみましょう。ここでは「ホワイトボード」からマインドマップを検索しました。

02 テンプレートをコピーする

■選択範囲をコピー

Mac
⌘ command + C

Win
Ctrl + C

転用できそうなデザインを全選択してコピーします。もちろん一部分のコピーでも構いません

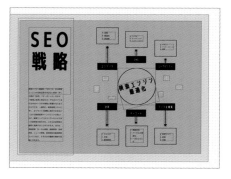

03 コピーしたテンプレートを貼り付けて調整

■コピーしたものを貼り付け

Mac
⌘ command + V

Win
Ctrl + V

制作途中のプレゼンテーションのページに貼り付けます。サイズなどはハンドルで調節しましょう。

17 Canvaでプレゼンをする

Canvaではいくつかの方法でプレゼンができます。プレゼンページが完成したら、まずはデザイン画面右上の「プレゼンテーション」ボタンをクリックして、プレゼンする方法を選択しましょう。

「プレゼンテーション」を押すと、右のウインドウが表示されます。4種類からプレゼン方式を選択しましょう。

全画面表示
シンプルなプレゼン方法。次ページを参照

プレゼンタービュー
発表者と参加者で別ウインドウ表示

プレゼンと録画
プレゼン者の自分を録画するモード

自動再生
ページに表示時間を設定して自動再生

18 デザイン制作の基礎：STEP 18
全画面表示でプレゼンをする

全画面表示では、自分のパソコンに映したものを発表する場合に使うシンプルな
プレゼンテーションです。直感的に使うことができます。

`< 14/15 >`

現在のページ／総ページ

画面端をクリック、ここの「<」
「>」をクリック、または矢印
キーでページを進めたり戻した
りできます。

A 拡大ボタン

プレゼン画面を拡大することができます。1000%
まで拡大可能です。また、このボタンを押してか
らマウスホイールでの拡大・縮小もできます。

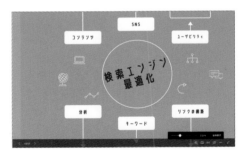

C Canva ライブ

チャットスペースを作成。参加者からチャットを受け
付けることができます。

D プレゼンテーションビューを表示

プレゼン発表者画面を表示します。

B マジックショートカット

プレゼン中にさまざまな効果をリアルタイ
ムに追加することができます。右側のアル
ファベットがショートカットキーです。

E その他設定

その他の設定。ポインターの非表示などは
ここから設定できます。

F 全画面の終了

「esc」キーでも終了します。

19 プレゼンタービューでプレゼン

プレゼンタービューでは、「プレゼンテーションウィンドウ」と「参加者ウィンドウ」の2画面が起動します。Zoom配信や投影先の画面共有を「参加者ウィンドウ」に設定することで、よりプレゼン画面の操作性が高まります。

01 プレゼンテーションウィンドウでプレゼン操作

プレゼンテーションウィンドウでは、マジックショートカットなど前ページと同様の操作にプラスして、メモの記入、時間の表示、タイマーなど機能性が高まっています。

02 参加者ウインドウ画面を投影先／共有先にする

写真はZoom配信での例です。画面共有先を「参加者ウィンドウ」に設定します。プロジェクターやモニターでの画面共有も、同様に「参加者ウィンドウ」にしましょう。

Check 01 プレゼンと録画

「プレゼンと録画」ではパソコンのインカメラなどを利用して、左下にワイプを出したプレゼン動画を撮影できます。最終的にはMP4動画としてダウンロードできます。

Check 02 自動再生

プレゼンをスライド形式で自動再生していきます。デザイン画面左上の秒数部分で、各ページの表示秒数を設定します。

20 ダウンロードする

デザイン制作の基礎：STEP 20

メニュー右上の「共有」ボタンから、ダウンロードする形式を選ぶことができます。プレゼン資料についてはPDFでの保存をおすすめしますが、パワーポイント形式、MP4動画、画像などさまざまな形式で保存が可能です。

ダウンロードファイル形式

■PDF（標準）／PDF（印刷）
■PPTX（パワーポイント形式）
■MP4（動画）
■JPEG／PNG（画像）
■GIF（アニメ画像60秒以内）

01　PDFでダウンロード

フラット化をしたPDF／フラット化していないPDFの容量

フラット化.pdf	17.4 MB	PDF 書類
通常.pdf	3.2 MB	PDF 書類

PDF（印刷）トリムマークと塗り足し

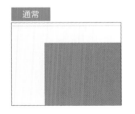

「PDF のフラット化」にチェックを入れると高解像度の画像PDF となりますが、容量が大きくなります。また、PDF（印刷）では、トリムマークと塗り足しを表示した PDF としてダウンロードが可能です。

02 PPTX（パワーポイント）形式でダウンロード

フェードインなどのアニメーションは反映されないので、パワポ上で再設定が必要です。動きのあるグラフィックなどは、パワーポイント上でもアニメーション処理されます。

03 MP4形式で動画ダウンロード

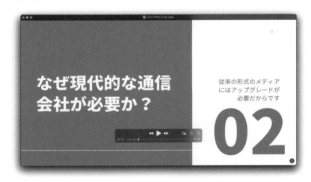

MP4形式の動画としてダウンロードすると、各種設定したアニメーション処理などを再現することができます。

04 JPEG／PNG／GIF　画像形式でダウンロード

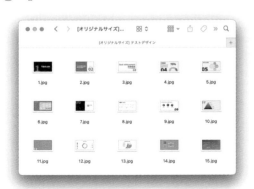

各ページを1枚ずつ画像としてダウンロードします。JPEG／PNG形式ともにアニメーションは反映されません。GIFを選択するとアニメーションGIF形式で動きのある画像としてダウンロードできますが、無料版では60秒以内という制限があります。

Column
おすすめ連携アプリ❷

Canva上で提供されている連携アプリを紹介します。アプリの検索方法などは25ページを参照してください。

文字にグラデーションをつける
TypeGradient

A 文字入力エリア

B フォント

C 文字揃え

D 行間の設定

F リセット／デザインに反映

E グラデーション設定

グラデーションスライダーで階調の設定。プレビュー画面でグラデーション角度や大きさをプレビューしながら設定できます。

文字（テキスト）にグラデーションをかけることができるアプリです。グラデーションカラーの設定はもちろんのこと、グラデーションの角度なども設定が可能です。Aでテキストを入力。Bでフォントを変更できます。ここで日本語フォントを選択すると日本語にグラデーションがかかります。Cで文字揃え、Dは改行を入れた場合の行間設定です。デザインが完成したらF「Add to design」をクリック。画像データとしてデザインに反映されます。

写真の加工編集

写真をCanvaにアップロードして、写真を加工編集します。さまざまなフィルターなどがあり、かなり自由な加工編集が可能です。目的に合ったテクニックを身につけましょう。

01

写真の編集：STEP 01

写真をアップロードする

パソコンやスマホから写真をアップロードして、Canva上で写真を加工編集することが
できます。加工した写真をダウンロードすることもできるので、簡易的な写真編集アプ
リとして利用することもできます。もちろん、加工した写真をそのままCanvaで制作す
るデザインに使用することもできます。アップロードできる画像形式はJPEG、PNG、
HEIC/HEIF、WebP、そしてSVG形式です。

01 ホーム画面の「アップロード」ボタンからアップロード

ホーム画面右上にある「アップロード」ボタンをクリックします。メニューが表示され
るので、パソコンからファイルを選択してアップロードするか、メニューの「ファイル
をここにドロップ」と書かれたエリアにアップロードする写真をドラッグ＆ドロップ。

Check 無料会員のアップロード容量は5GBまで

Canva Free のユーザーは最大 5GB のメディアをアップロード可能。
Canva for Education および Canva for NPO ユーザーは、最大 100GB 可能。
Canva Pro と Canva for Teams のユーザーは 1TB のストレージを利用可能。

02 デザイン画面のサイドパネルから「アップロード」

❷「…」で連携アップロードできる

❶「アップロード」をクリック

デザイン制作画面のサイドパネルにある「アップロード」アイコンをクリック。右側の
パネルの上部に「ファイルをアップロード」ボタンがあるので、ここから画像などを
アップロードできます。右側にある詳細ボタン「…」をクリックでGoogle Driveなどと
連携して、クラウドサービスから画像をアップロードも可能です。

03 スマホからアップロード

Canvaはスマホからも利用可能なマ
ルチプラットフォームアプリ。実際
のデザイン作業は、画面サイズ的に
スマホでのデザイン制作は難しいで
すが、スマホ内の写真をアップロー
ドできるのは便利。スマホのブラウ
ザでCanvaにアクセスし、トップ
ページのカメラボタンをタップして
アップロードしましょう。

02 写真エディターを起動する

Canvaの写真を加工編集は「写真エディター」という画像編集専用アプリとデザインに使用する「デザインツール」があります。デザインツールでは写真エディターではできない複雑な加工などが追加されていますが、画像加工であれば写真エディターで十分に対応できます。まずは写真エディターの使い方から学んでいきましょう。

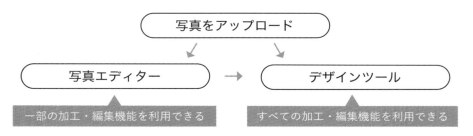

01　写真エディターを起動する

ホーム画面から写真をアップロードすると、アップロードした写真がポップアップされます。「写真を編集」を選択して、「写真エディター」を起動させましょう。

02 写真エディターがポップアップする

写真エディターが起動しました。左のサイドパネルからさまざまな加工編集を設定します。デザインが完了したら右上の「保存」ボタンでCanva内に保存するか、ダウンロードしてパソコンに保存するかを選択できます。

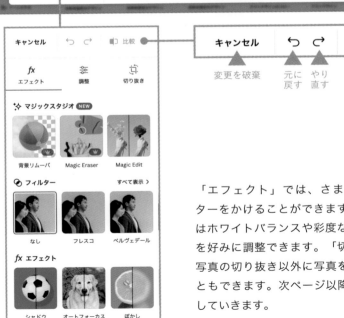

「エフェクト」では、さまざまなフィルターをかけることができます。「調整」ではホワイトバランスや彩度など写真の色味を好みに調整できます。「切り抜き」では写真の切り抜き以外に写真を回転させることもできます。次ページ以降で詳しく解説していきます。

03 写真エディター＞フィルター加工
写真をフィルター加工する

フィルターは写真全体に同一の効果をかける加工。ワンクリックで写真の印象が変わるので、お手軽かつ便利な機能です。写真エディターの左サイドパネルの「フィルター」から「すべて表示」を選択すると、各種フィルターが表示されます。

このスライダーで画像の拡大率を自由に変更できます。

「強度」でフィルターの強弱をつける

フィルター加工してみたいフィルターを選択すれば、写真にフィルターがかかります。フィルターの強弱は「強度」スライダーを動かすことで調整可能です。

01 写真を拡大・縮小する

エディター画面の右下に表示されているのが、写真の表示倍率です。このスライダーを左右に動かすことで拡大・縮小表示ができます。

02 元画像とフィルター加工を比較する

左上の「比較」ボタンをクリックすると、元画像が表示されて比較できます。

03 フィルターを外したいときは「なし」を選択

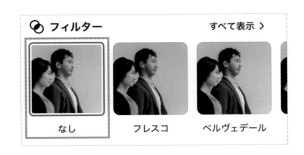

フィルター加工をした後に、その加工を外したい場合は、サイドパネルの「なし」を選択するだけで効果がすべて解除されます。

04 「シャドウ」で影をつける

シャドウ

写真の外枠にエフェクト加工をする「シャドウ」。外枠をにじみグラデーションで囲む「グロー」、外枠に影を落とす「ドロップ」、外枠を線で囲む「アウトライン」の3種類の加工ができます。

サイズ、ぼかし量、角度、間隔、影のカラー、効果の強度を自由に設定できます。シャドウエフェクトを適用後に、エフェクトを解除したい場合は、左上にある「なし」をクリックすればエフェクトが消えます。

84

05 「オートフォーカス」する

ワンクリックで、特定の被写体にピントを合わせて周りをぼかすのが「オートフォーカス」です。ピントを合わせる被写体をスライダーで選択するだけでキレイなオートフォーカス写真を制作できます。

オートフォーカス

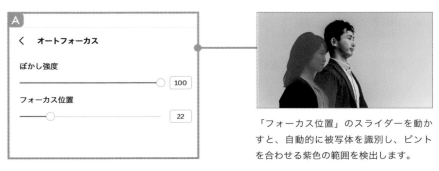

「フォーカス位置」のスライダーを動かすと、自動的に被写体を識別し、ピントを合わせる紫色の範囲を検出します。

「フォーカス位置」のスライダーで、ピントを合わせる被写体を自動選択します。選択された部分にピントが合い、選択されていない部分にぼかしが入ります。オートフォーカス処理後にこのエフェクトを解除するには、左下の「オートフォーカスを削除する」をクリックしてエフェクトを消しましょう。

06 「ぼかし」処理をする

ぼかし

ワンクリックで画像全体にぼかしを加える、または特定の部分をブラシで選択することで部分的にぼかし処理を行なえます。下の見本写真では、車のナンバー部分だけにぼかし処理を施しています。

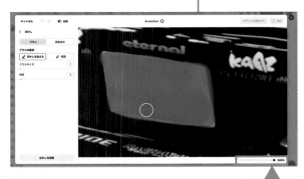

部分的にぼかし処理をするには、ぼかしたい部分をブラシで塗りつぶします。ぼかしに関してはピンポイントでの処理が多いので、画像を拡大してから塗りつぶして処理するのがおすすめ。「ぼかしを削除」を押せばエフェクトを削除できます。

07

写真エディター＞エフェクト加工

「ダブルトーン」に変換する

ダブルトーン

写真の色を反転させ、写真を2色にする「ダブルトーン」。一瞬でフルカラーの写真をモノクロやセピアにすることができます。エフェクトサンプルの色味だけでなく、2色のカラーは自由に設定できます。

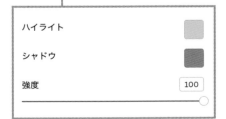

エフェクトのサンプルはクリックするだけで、ダブルトーンが反映されます。また、ハイライト色とシャドウ色に分けて、自由にオリジナルのダブルトーンを制作できます。エフェクトの解除は「なし」を選択すればOKです。

Pro 08

写真エディター＞マジックスタジオ

「背景リムーバ」で切り抜き

背景リムーバ

ワンクリックで背景から前景だけを切り抜く機能が「背景リムーバ」です。切り抜き範囲は前景となる対象物ですので人物の切り抜きに最適な機能です。この機能はCanva Pro有料ユーザー専用の機能です。

ワンクリックで
背景から切り抜き！

「背景リムーバ」のアイコンを選択するだけで、自動的に解析が始まり、ものの数秒で背景を切り抜いてくれます。精度は非常に高く、かなり拡大しても粗が目立たないレベルです。

写真エディター＞マジックスタジオ

「マジック消しゴム」で対象物を消す

マジック消しゴム

写真から削除したい対象物をブラシでなぞるだけで、消してしまうのが「マジック消しゴム」機能です。この機能はCanva Pro有料ユーザー専用の機能です。

写真内の消したい部分をブラシでなぞって選択します。ここでは犬のリードを削除してみました。背景画像になじむような処理をAIが自動判別して削除しています。処理に違和感がある場合は、ブラシでなぞる処理を何度か繰り返しましょう。

10 「マジック加工」AIで合成写真

写真エディター＞マジックスタジオ

マジック加工

写真を選択して日本語で指示を出すだけで、写真の合成、対象物の生成ができるのがAIを使った機能「マジック加工」です。この最新機能は無料ユーザーでも使用できます。

01 「マジック加工」を選択する

サイドパネル、マジックスタジオから「マジック加工」を選択します。左側のふたつのAIツールは有料ユーザーのみ使用可能。

02 AI生成したいエリアをブラシで塗りつぶす

写真にAI生成されたものを合成します。まずはブラシサイズを調整し、どの部分に生成するかを選択します。ブラシを動かして生成するエリアを塗りつぶしましょう。

03 日本語で指示を入力

編集内容を記入します。ここでは3つのエリアを塗りつぶして「犬を3匹追加」と記入しました。文章の記入が終わったら「生成」ボタンをクリックします。

04 AI生成された写真を確認

数秒待つとサイドパネルにAI生成された写真が4パターン生成されます。この中からイメージに合ったものを選択しましょう。

⓪5 イメージと違えば「新しい結果を生成する」

最初に表示される4パターンのAI生成写真がイメージと違っていれば、「新しい結果を生成する」をクリックしましょう。新たに4パターンの写真を生成して表示します。

⓪6 それでもイメージと違えば、領域選択からやり直す

なかなかイメージ通りに生成されない場合は、最初の領域選択からやり直しましょう。AIは背景パターンなどを計算しているので、領域選択からやり直すと、結果が大きく異なります。

11 「マジック加工②」全体を AI 処理

01 「マジック加工」を選択する

写真全体をマジック加工します。「画像全体を選択する」にチェックを入れて、画像全体を編集領域として選択します。

02 日本語でAI処理の指示をする

今回は「夕焼けにする」という指示を入力しています。一瞬で夕焼けのような写真処理が完成しました。

03 マジック加工の解除は「ツールのリセット」

マジック加工処理後に効果を解除する場合は、マジック加工を開いて「ツールのリセット」をクリックすると効果が解除されます。

12

写真エディター＞調整

写真の明暗調整

調整

サイドパネルの「調整」を選択すると、写真の色味や明暗を調整することができます。自動的にワンクリックでの調整も、ホワイトバランスやライトといった細かい設定を手動で行うことも可能です。

ワンクリックの自動調整で最適な色味に！

自動調整ボタンをクリックすると、Canvaが自動的に最適な画像補正をしてくれます。手動で細かい設定を施す場合は、スライドバーを動かすか数値を入力していきましょう。

01 「エリアを選択」で前景と背景を自動判別

自動調整ボタンのすぐ下にエリア選択にプルダウンメニューがあります。初期状態では「画像全体」となっていますが、ここで「前景」と「背景」を選択することが可能。写真の手前にある対象物と背景で別々の色味調整ができます。

02 イラストの色味調整は「カラー調整」で

イラストなど色が明確になっている写真や画像は、調整サイドパネル下段の「カラー調整」を設定するだけで、色の置き換えが可能です。簡単にカラーバリエーションを制作することができるので、イラスト画像のカラー調整に活用しましょう。

13

写真の切り抜きと回転

サイドパネルの「切り抜き」を選択すると、写真の切り抜き（トリミング）と回転の設定ができます。切り抜きたい範囲をドラッグすれば自動的に写真がズームされる使い勝手のよい機能です。

01　切り抜く範囲をドラッグする

初期状態では自由に切り抜き範囲を設定する「フリーフォーム」です。8ヶ所にあるハンドルを自由にドラッグして切り抜き範囲を設定してみましょう。ドラッグでもマウスホイールでも写真を拡大・縮小できます。

96

02 縦横比固定のサイズを切り抜く

縦横比から、縦横比固定の範囲で切り抜きが可能です。正方形やスマホサイズ、16：9の動画サイズなど9種類の縦横比が設定されています。

03 写真を回転させる方法は3種類

回転はサイドのスライダーか角度を数値入力。または写真したの回転ボタンをドラッグすることで回転させることができます。

Check スマート切り抜きは使いどころが難しい？

「スマート切り抜き」ボタンは画像を読み取って最適な切り抜き範囲と回転を自動算出します。右写真のように対象物が垂直になるような設定をしてくれますが、トリミングに関しては自分で設定することをおすすめします。

14 写真を保存する

写真の編集加工をしたら「保存」をします。保存方法は2種類、Canva内に保存をするか、自分のパソコンなどにダンロードするかです。ダウンロードを選択するとJPEG画像としてすぐにダウンロードされます。別画像形式でダウンロードしたい場合は、「デザインに使用する」を選択してデザインツール上で保存できます。

01 Canvaに保存かダウンロードかを選択できる

写真エディターの右上にある「保存」ボタンをクリックすると保存方法を選択できます。

100 ページで解説

Canva に保存

Canva内に保存されます。加工の再修正や取り消しもできるので、基本的にはこちらを選択しましょう。

ダウンロード

自分のパソコンにJPEG形式で保存します。ファイル名などは自動的につけられてダウンロードします。すぐに加工写真を使用したい場合などはこちら。

Check 「Canvaに保存」が選択できない場合

「Canvaに保存」がグレーアウトして選択できない場合があります。これは現在開いている写真がすでにCanvaに保存されているからです。

03 ホーム画面から編集した写真を確認する

ホーム画面の左サイドパネルから「プロジェクト」を選択し、プロジェクト表示画面から「画像」を選択しましょう。アップロードされた写真画像が一覧表示されます。ここから名前の変更や、写真の削除などができます。

写真のファイル名の部分をクリックするとペンマークが現れ、ファイル名を入力できます。

写真をマウスオーバーすると左上にチェックボックスが表示されます。チェックを入れることで選択となり、複数選択が可能になります。選択すると下部にバーが表示され、フォルダーに移動か、ゴミ箱に移動かを選択できます。

15 デザインツールで写真編集

写真エディターにはない、さまざまな画像加工や処理を「デザインツール」で行うことができます。写真エディターの右上にある「デザインに使用する」というボタンをクリックすることでデザインの素材として写真編集が可能になります。

01 「デザインに使用する」を選択

写真エディター右上の「デザインに使用する」をクリックして、写真を「デザイン」にします。クリック以降は画像ではなくデザインとしての編集となります。

02 全体を選択して「画像を編集」

写真エディターからデザインツールに移行しました。画像全体を選択して、左上の「画像を編集」をクリックすると、旧写真エディターでの編集となり、写真エディターには実装されていない、さまざまな加工編集機能が表示されます。

16 モックアップを制作する

デザインツール＞スマートモックアップ

モックアップとは外見を実物そっくりにすること。写真をCanvaが自動計算し、モックアップを制作します。マグカップやTシャツにプリントした写真を制作できます。

01 「スマートモックアップ」からビジュアルを選ぶ

「スマートフォン」「コンピューター」「カード」「本」「衣料品」「マグカップ」と多数のモックアップが用意されています。制作したモックアップのアイコンをクリックすると、リサイズなどの設定ができます。右の作例はロゴデータですが、スナップ写真などでもキレイに制作できます。

設定はアイコンをクリック

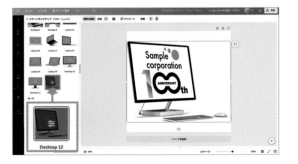

17 さまざまなエフェクトを使う

デザインツールに実装されているエフェクトは、Canva純正のものだけではなく有志が提供しているものあります。さまざまなエフェクトが準備されているので、いろいろと試してみることをおすすめします。

01 「フェイスレタッチ」で人物を美しく

フェイスレタッチは執筆時ではベータ版として提供されていますが、自動的に顔写真を美しく補正する機能です。

02 「Prisma」でイラストのようなさまざまな加工

さまざまな加工効果がある Prisma。フィルターを選択するだけで、大きく印象が変わる加工が特徴のエフェクトです。

03 その他エフェクトを使いこなす

スクリーン

「スクリーン」は、ハーフトーンやセミトーンといった網点エフェクトを瞬時にかけます。

フレーム

文字のモザイク

カラーミックス

「フレーム」では、いろいろな枠線をつけることができます。「文字のモザイク」は写真をアルファベットのモザイクにする変わった加工です。また、「カラーミックス」では透明感のあるビビッドな加工がワンクリックで可能です。ここで紹介しているもの以外にも多数のエフェクトが存在します。

Check 保存される場所は「デザイン」になる

「デザイン」として編集しているので、加工をして保存をした写真は「デザイン」に表示されます。「画像」では無いので気をつけましょう。

背景切り抜きが無料でできる
Background Eraser

88ページで紹介したPRO専用機能の「背景リムーバ」と同様に背景を切り抜く
アプリ。こちらは無料で利用できます。使い方は「Choose file」をクリックし、
切り抜きたい写真をアップロードして「Remove background」を押すだけと簡単。

白黒写真をAIでカラー写真のように着色
Colorize

白黒写真にAI処理を自動的にカラー化してくれるアプリ。使い方は「Choose
file」をクリックし、カラー写真化したい白黒写真をアップロードし、「Colorize
image」を押すだけ。白黒写真が美しいカラー写真になります。

04

SNS画像＆動画

Canvaでは各SNS用のテンプレートが多数あ
りますが、ここではInstagram投稿を想定し
た画像とショート(リール)動画を制作します。
他のSNSにも転用可能なテクニックです。

01 Instagramの投稿画像を制作

Instagramの投稿用の正方形画像を制作します。完成した画像は左のもの。元のテンプレートからどのようにアレンジしていったのか、見ていきましょう。

01 テンプレートを選択する

投稿画像のベースとなるテンプレートを選びます。今回はウェビナーの案内画像のデザイン制作です。Canvanのテンプレートジャンルは「Instagram投稿（正方形）」から、下のテンプレートを選択しました。

02 テンプレートの写真をクリックして削除

テンプレートに貼り付けられている写真を差し替えます。写真部分をクリックしてゴミ箱アイコンをクリックして「画像を削除」を選択。もしくはキーボードの「delete」キーで写真を削除しましょう。

03 写真を削除するとフレーム部分が表示される

写真を削除すると、フレーム部分が青空のイラストで表示されます。サイドパネルの「アップロード」から写真を選択します。差し替える写真をまだアップロードしていなければ、「ファイルをアップロード」で写真をアップロードします。

04 差し替え写真をフレームにドラッグ＆ドロップ

アップロードにある写真から差し替えたいものを選んでフレームエリアにドラッグ＆ドロップしましょう。

05 画像フレーム内の写真調整（ダブルクリック）

挿入した写真をダブルク
リックすると、位置の調整
や拡大・縮小ができます。
ハンドルを操作して最適な
調整をします。

06 画像フレームそのものを調整（クリック）

画像フレームそのものの大
きさや位置も変更可能で
す。写真をクリックすると
フレーム選択となります。
ハンドルで大きさ、ドラッ
グで位置を変更します。今
回はテンプレートよりも小
さめに設定しました。

07 グラフィック素材の変更

テンプレートに元から貼られて
いるグラフィック素材も自由に
削除・変更ができます。今回は回
転させて、大きさを小さくしまし
た。

02

SNS画像デザイン：STEP 03

スタイルでデザイン一括変更

色の組み合わせの「カラーパレット」、フォントの組み合わせの「フォントセット」、カラーとフォントのふたつを合わせた「組み合わせ」のスタイルがあります。選択するだけで、さまざまなデザインパターンに変更できます。

01 　サイドパネルの「デザイン」から「組み合わせ」

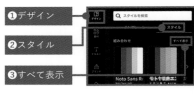

サイドパネル「デザイン」から「スタイル」タブを選択。「組み合わせ」の右側にある「すべて表示」を選択します。

02 　「組み合わせ」でフォントもカラーも一括変更

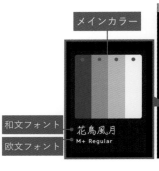

「組み合わせ」をクリックするだけで、フォントも色味も一括で変わっていきます。好みのものを見つけましょう。

03 「組み合わせ」を選択してから再度ボタンをクリック

「組み合わせ」を反映した状態で、グレーアウトしている「組み合わせ」をクリックするとカラーバリエーションを表示します。

04 フォントの変更で崩れたデザインを調整

テンプレートのフォントから変更した際に、文字ボックスから溢れて自動改行するものも出てきます。文字ボックスのハンドルを操作して調整・修正します。

05 テキストを打ち替えていく

テンプレートのテキストを新しいものに打ち替えて、入力していきます。文字ボックスの溢れなどは、04と同様にボックスをハンドル操作して修正しましょう。

03 バリエーションをチェック

01　「カラーパレット」で色味だけをパターン出し

前ページの「組み合わせ」では、カラーとフォントのセットでデザインパターンを確認しました。「カラーパレット」でカラバリ（カラーバリエーション）を制作して、デザインにより合った色合いを選択しましょう。

02　「フォントセット」でフォントパターンを確認

「フォントセット」では、デザイン全体のフォントだけを変更できます。ここでも、さまざまなパターンを見てイメージに合ったものを選んでいきます。

04

SNS画像デザイン：STEP 05

素材を追加してアレンジ

最後の仕上げです。Canvaに搭載されている「素材」を利用して、自分なりにデザインをアレンジしていきます。素材では図形やグラフィック、写真などのデザインに使えるパーツが無数にあります。

01 サイドパネル「素材」を利用する

サイドパネルの「素材」をクリックすると、さまざまな種類のパーツが表示されます。「グラフィック」はイラスト的なもの「ステッカー」は動きのある動的なもの、「コレクション」は同一テイストでまとまったイラストグループです。今回は「グラフィック」を使ってテンプレートデザインをアレンジしていきます。

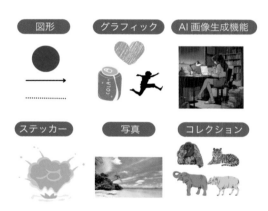

02 検索窓で検索し、素材をドラッグ＆ドロップ

目的のものを探すために、検索窓にキーワードを入力しましょう。今回は「グラフィック」で『ハート』と検索しました。デザインにしたいグラフィックをデザインデータにドラッグ＆ドロップします。

03 さらにグラフィックを追加

ドラッグ＆ドロップ後は、ハンドルで拡大・縮小できます。さらに別のグラフィックを追加します。

04 追加グラフィックのカラーをデザインに合わせる

❸使用中のカラーから選択

現在のデザインに使用しているカラーを表示してくれます。この中からカラーを選択すればデザインに統一感が生まれます。

❷カラーを選択する

❶グラフィックを選択

完成！

テンプレートを下敷きにオリジナルのInstagram用の投稿画像の完成です。専門的なデザイン知識がなくても、テンプレートの改変と素材のドラッグ＆ドロップだけで見栄えの良い画像が誰にでも作れます。

05

SNS画像デザイン：STEP 06

完成画像をダウンロード

01　「ファイル」／「共有」からダウンロード

完成したデザイン画像をダウンロードします。編集画面の
メニュー左上の「ファイル」からダウンロードを選択する
か、メニュー右上の「共有」からダウンロードを選択しま
しょう。どちらを選択しても02へ移動します。

02　PNG形式でダウンロード

ダウンロードできるファイルの
種類はJPEG、PNG、PDFから選
択できます。推奨のPNG形式で
のダウンロードをします。

👑 Pro

有料ユーザーであれば、サイズ変更や
ファイル圧縮といったオプションを選
択することができます。

06

SNS画像デザイン：STEP 07

SNSとの連携で投稿

01 「共有」からInstagramをクリック

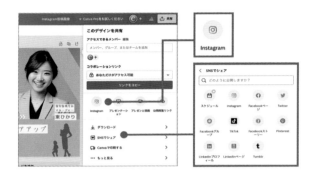

メニュー右上の「共有」を
クリックし、「Instagram」
を選択しましょう。今回
はInstagramとの連携です
が、他のSNSとの連携は、
「SNSでシェア」をクリッ
クすると連携できます。

02 Instagramへの投稿方法を選択して投稿

スマホ版 Canva へのリン
ク QR コードが表示されま
す。読み取って、スマホか
ら Instagram へ投稿しま
しょう。

投稿するInstagramが個人アカウ
ントか、ビジネスアカウントかで
投稿方法が異なります。個人アカ
ウントの場合はスマホ版Canvaへ
のQRリンクが表示され、スマホ
でアクセス。スマホでInstagram
を起動し、そこからの投稿になり
ます。ビジネスアカウントの場合
は、Facebook経由でのアカウン
ト連携が必要になります。

07 ショート動画制作の基礎知識

動画編集は、画像デザインの編集画面と同じ画面、同じ操作で制作できます。プレゼン資料制作で学んだ「ページ」が動画の1シーンとなります。ページとページを切り替え（トランジション）で繋いでいけば簡単に動画編集をマスターできます。撮影して自身で動画を準備してもよいですが、画像やデザインだけでもプレゼン資料制作のように文字や画像の表示をアニメーションさせることで、スライド形式の動画を制作できます。

Point スライド作成感覚でカンタンに動画制作ができる！

08 スマホ動画を作る

SNS動画制作：STEP 02

01 ホーム画面から「Instagramリール動画」を選ぶ

「Instagramリール動画」を選択し、「空のデザインを作成」します。サイドパネルの素材から動画素材を探します。検索窓をクリックするとカテゴリーボタンが表示されるので、「動画」を選択してキーワードを入力します。

02 動画素材をドラッグ＆ドロップ／サイズ・位置調整

動画素材をデザイン画面にドラッグ＆ドロップします。動画素材は16：9の比率ですがハンドルで拡大。ドラッグで表示位置を調整し、スマホ画面いっぱいに表示されるようにします。

なお、Canvaで無料使用できる動画素材は比較的少ないので、撮影した動画をアップロードして使ったほうが作業効率は上がります。

03　動画を最背面にして、その上をデザイン

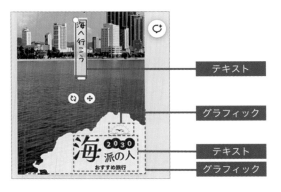

- テキスト
- グラフィック
- テキスト
- グラフィック

「配置」で動画を最背面にしてその上に表示する文字やグラフィックを制作していきます。このデザイン面は、@mofu-design 制作のテンプレートを改変しています。

「配置」レイヤーについては

Check → 28ページ

04　文字や素材にアニメーション効果

文字やグラフィック素材にアニメーションをつけて、動画全体に動きをつけていきます。メニュー右上の「アニメート」ボタンで設定しましょう。

05　背景動画へのエフェクト処理

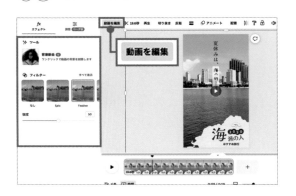

動画を選択して、メニュー左上の「動画を編集」をクリック。動画全体を加工するフィルターを選択できます。デザインの雰囲気に合わせてフィルター加工します。

06 マウスでドラッグして再生秒数を設定

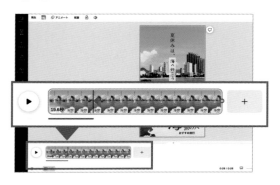

デザイン画面左下のサムネイルページでは、ドラッグ＆ドロップで取り込んだ動画素材の再生秒数となっています。サムネイルの端をドラッグして、自分で制作する動画の再生秒数を設定します。

07 動画素材の再生位置を設定する①

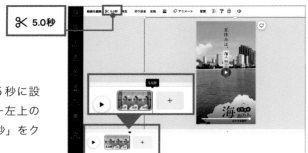

ドラッグして再生時間を5秒に設定しました。次にメニュー左上のハサミマークにある「5.0秒」をクリックします。

08 動画素材の再生位置を設定する②

メニュー上部に動画素材のシークバーが表示されます。設定した秒数のスライダーをドラッグして再生位置を決定します。

09 ページを追加して別シーンをデザイン

別シーンを制作します。ページ
サムネイルの「+（ページを追加）」
をクリックします。新しいペー
ジが追加されるので、同様にデ
ザインをしていきます。

10 切り替え（トランジション）の設定

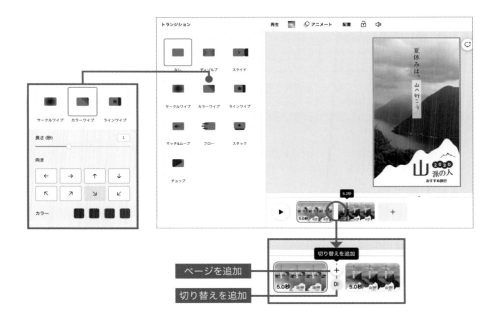

ページ1(シーン1)とページ2（シーン2）の間に、トランジション（切り替え効果）を
設定します。動画と動画の間にマウスカーソルをもっていくと、ページ追加ボタンと切
り替えボタンが出現します。切り替えボタンをクリックで、左サイドパネルにトランジ
ション設定が表示されます。さまざまな効果があるのでいろいろ試してみましょう。

11　動画に音楽をつける

動画に流れるBGMもドラッグ＆ドロップで設定できます。今回は素材の「オーディオ」から検索して設定しています。ページ部分の下部に音楽をドラッグ＆ドロップしましょう。

12　音楽の再生位置の調整／エフェクト効果

音楽部分をクリックして選択。「調整」で再生位置の調整。「オーディオエフェクト」でフェードイン・アウトの設定。また、音楽はドラッグ＆ドロップでページ（シーン）ごとに別々のものを設定できます。

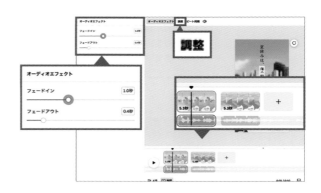

13　ダウンロードして完了

メニュー右上の「▶10.0秒」ボタンをクリックで制作した動画のテスト再生。その再生画面の右上「ダウンロード」ボタンから動画をダウンロードできます。

Column
おすすめ連携アプリ④

Canva上で提供されている連携アプリを紹介します。アプリの検索方法などは25ページを参照してください。

音声読み上げアプリ
Voiceover

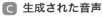

C 生成された音声

A 文章入力エリア

B 話者設定

日本語対応の音声読み上げアプリ。**A**で読み上げ文章を入力し、**B**で話者のキャラクター/読み上げ方を設定します。生成された読み上げ音声は**C**に保存され、Canva上のデザインに反映されます。

マウス手描きの線画を元にAI画像生成
Sketch To Life

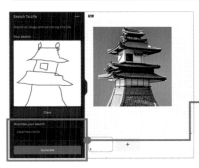

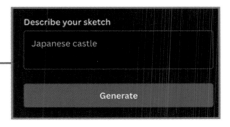

マウスでスケッチをし、英語で内容を指定するとAI画像生成してくれるアプリ。スケッチエリアにマウスで線画を描き、指定エリアに生成したい画像の説明を入力するだけで、画像が生成されます。

05

プリントデザイン制作

デザイン制作の基本ともいえるチラシなどの印刷物をつくります。Canva上から直接印刷発注も可能です。また、AI画像生成もこのチャプターで解説します。

01

印刷物のデザイン：STEP 01

塗り足し&ガイドの作成

チラシや名刺などの印刷物をCanvaから直接印刷して無料配送で手元に届くサービスがあります。Canvaを含め、業者で印刷をする場合は、データ作成時に「塗り足し」を作る必要があります。

01 「塗り足し」を設定する

左上メニュー「ファイル」から「塗り足し領域を表示する」を選択しましょう。デザイン面が広がり、破線の境界線が表示されます。この塗り足し部分まで背景や画像を伸ばして制作していきます。

02 ガイドを追加する

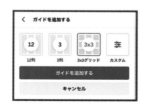

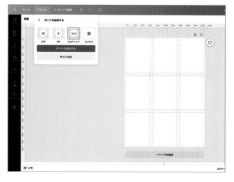

同じ「ファイル」から「ガイドを追加する」を選択して、デザインするためのガイド線を追加します。

03 ガイドを表示／非表示の切り替え

Mac/Win

ガイド線は印刷時には印刷されない線です。テキストや素材はガイド線に吸着するので、位置調整がしやすくなります。ガイド線の表示／非表示は、ショートカット「shiftキー＋Rキー」で切り替えることができます。

04 ガイドを自分で追加する

ガイドを表示すると、デザインの上部と左部に定規が表示されます。定規をクリックしてデザイン面までドラッグすると、自分でガイド線を引くことができます。

05 デザインラフを制作する

今回はテンプレートを使用せずに「空のデザイン」から制作していきます。塗り足し、ガイド線を引いたら、文字を入力していき、大まかなデザインプランを制作していきましょう。これをデザインラフと言います。

02 写真・図形を背景にする

01　写真を背景にする

写真を背景にします。サイドパネルの「素材」から「フレーム」を選択し、写真配置エリアを設定。その後、写真をドラッグ＆ドロップします。

02　配置（レイヤー）で背面にして写真を水平に反転

ドラッグ＆ドロップして写真を設定しました。「配置」のレイヤーで文字よりも背面にしておきましょう。写真を配置したところ文字情報に被る部分が多いので、左上メニューの「反転」で写真を水平に反転させました。

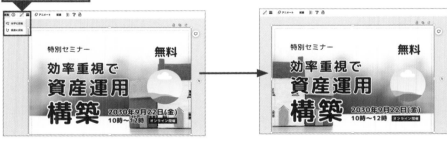

03　透明度を調整して可読性を上げる

写真の上に置いた文字を読みやすくするために、写真の透明度を設定します。上部メニューの透明アイコンをクリックしましょう。

04 図形を背景にする

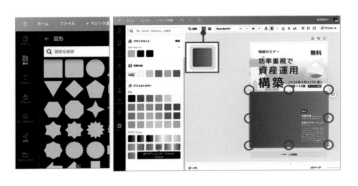

サイドパネル「素材」から図形を選択してデザイン面に配置。色を選択し、ハンドルでサイズを調整します。塗り足し部分までしっかり伸ばしましょう。

05 配置（レイヤー）で図形を背面に

図形を選択して「配置」ボタンから「レイヤー」を選択。背景として図形を置いているので、背面になるようにドラッグ＆ドロップします。

「配置」レイヤーについては

Check → 28ページ

06 背景の写真・図形にロックをかける

背景にする写真や図形などは、基本的に移動しません。選択して右クリックメニューから「ロック」をかけて、文字入力などデザイン作業をしやすくします。

03 文字のデザインテクニック

01 背景に合わせて文字の色を一括変更

背景色に合わせて、文字の色を変更します。変更する文字をドラッグで選択。メニューの文字カラーボタンをクリックして文字色を一括で変更します。ここでは白色に変更しました。

02 文字をエフェクトでボタンデザインに一括変更

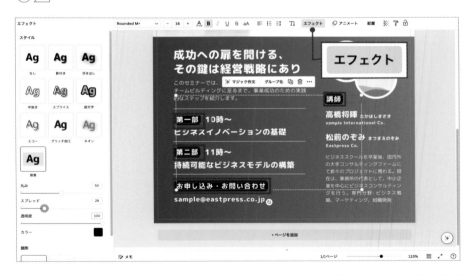

文字にエフェクトをかけて見出しをデザイン処理をします。「shiftキー」を押しながら処理を施したい文字ボックスをクリックし、複数選択していきます。選択し終わったら上部メニューの「エフェクト」から「背景」を選びます。丸みやスプレッド（背景の幅）などを設定していくと、複数選択したものが一括で変更できます。

03 素材から表を挿入する

表を文字を囲む枠組み
として利用します。ま
ずはサイドパネルから
素材を選択し、「表」を
挿入します。行はひと
つ、列は6つの表を作
成します。

04 表のセルに文字を一文字ずつ入力

表のセル内に文字を入力していきま
す。文字のフォントサイズなどは全
体を見ながら調整しましょう。文字
入力が終わったら表全体を右クリッ
ク。「列の幅を均等にする」を選択
します。

05 表の色、セルの余白を設定する

表のセルを正方形にするために、セルボタンをクリックして「セルの間隔」と「セルの
余白」をゼロに設定します。これで表を利用した囲み文字デザインの完成です。

04 線や図形のテクニック

01　線を模様として使用

線をデザインパーツとして使用します。メニュー左上の線ボタンから線を背景として配置。終点を丸にし色をグラデーションにして背景パーツのように見せています。

02　サイドパネル素材から図形を選択

「無料」の文字の下に図形を置きます。サイドパネルの素材から図形を選択、円をドラッグ＆ドロップ。配置レイヤーで「無料」という文字のすぐ下になるように配置します。

03　図形を選択して「図形」ボタンで形状変換

図形を選択し、メニュー左上に「図形」のボタンをクリック。この「図形」をクリックするとサイドパネルにさまざまな形状が表示され、クリックするだけで形状変換ができます。

05 スタイルをコピー

01 フレームに枠線などの処理をする

円形の写真フレームに、人物写真
をドラッグ&ドロップしました。
この円形に白い枠線をつけ、デザ
イン処理をします。

02 デザイン処理を「スタイル」としてコピー&ペースト

処理をした白い枠線のデザイン処理を他のパーツに反映させます。枠線処理のしてある
フレームを選択し、上部メニューにある「スタイルをコピー」ボタンをクリック。これ
でこのデザイン処理がコピーされた状態になります。マウスポインターが黒いローラー
に変化するので、処理を貼り付けたいところをクリック。上の写真のように、白い枠線
の処理だけがペーストされます。

06 ダウンロードして印刷

完成したデザインをダウンロードします。自宅のプリンターなどで印刷する場合は、トリムマークと塗り足しは不要なので、チェックを外してダウンロードしましょう。高解像度になる「フラット化」は、お好みに合わせてで問題ありません。

「共有」から「ダウンロード」

Ａ トリムマークと塗り足し

業者などに印刷を発注する場合は、「トリムマークと塗り足し」にチェックを入れましょう。

Ｂ PDFのフラット化

PDF が高画質化します。容量が大きくなりますが、印刷の質を求める人は「PDF のフラット化」にチェック。

Ｃ カラープロファイル

無料版では RGB 形式でしかダウンロードできません。CMYK 形式でのダウンロードは Pro 版の機能となります。

07 Canvaでチラシを印刷

Canva上から印刷を発注して、無料配送で受け取れるサービスもあります。この印刷サービスを利用すると、無料版ユーザーでもRGB形式のデータが自動的にCMYK形式に変換されて入稿されます。

「続行」ボタンを押すとデザインデータを自動的にCanvaがチェック。フォントが小さすぎるものなどを指摘してくれます。「最終チェックをする」でPDFをダウンロードできます。

右サイドパネルにチラシ印刷の詳細設定が表示されます。両面印刷設定やサイズ、用紙の種類、仕上げ、枚数などを選択していきます。

133

08 AIを使って画像を自動生成①
AI画像生成を利用する

Canvaの目玉機能のひとつにAIでの画像生成があります。テキストプロンプト（日本語での指示文）を入力するだけで、アニメ調や水彩画、写真などさまざまな画像を生成してくれます。無料ユーザーは50回までの制限がありますが、有料ユーザーは毎月500回まで生成が可能です。

01 素材から「AI画像作成機能」を選択

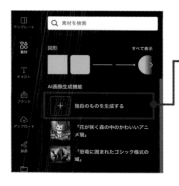

サイドパネルの素材にある「AI画像生成機能」
このエリアにある「独自のものを生成する」を
クリックしましょう。

02　AI画像作成機能の使い方

テキスト入力エリアに日本語で説明文を入力し、下部の「画像を生成」ボタンを押すだけで4枚のAI画像を生成します。説明文で画像のタッチを指示してもよいですが、生成ボタンを押す前に「スタイル」でどのようなタッチでの生成かを指定しておくと、指定スタイルでの画像生成となります。

Point

この最下部に残りのクレジット（生成可能回数）が表示されます。無料ユーザーは50回までの制限があります。

画像生成制限
・無料ユーザー　　50回
・有料ユーザー　　500回／月

03　スタイルを設定する

スタイルの「すべて表示」をクリックすると以下のようにさまざまな画像生成スタイルを選択できます。

写真／鮮やか／ミニマル／ネオン／映画的

遊び心／レトロウェイヴ／3D／サイケデリック／コンセプトアート／3Dモデル／グラデーション／幻想的／アニメ

色鉛筆／水彩画／ステンドグラス／絹版画

04 生成するための文章入力／縦横比を設定

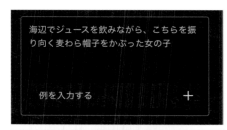

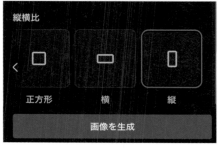

AI画像生成のための文章を「海辺でジュースを飲みながら、こちらを振り向く麦わら帽子をかぶった女の子」と入力しました。縦横比の設定は初期状態では「正方形」となっています。今回は「縦」を選択し、「スタイル」は設定せずに「画像を生成」ボタンをクリックしています。

サイドパネルが切り替わり画像生成が始まります。数十秒を待つとサイドパネルに画像が4枚表示されます。

05 AI生成画像が完成／再生成で別パターン

画像生成時に何らかの問題が発生して表示されないことがあります。

画像が表示されました。1枚は何らかの理由で非表示となっています。生成する画像の文章次第ですので、とくに気にしなくてもよいでしょう。

AI生成画像をデザインなどに使用する場合のルールの説明ページへ飛びます。

「詳しくはこちら」をクリックすると、『AIサービスに関する利用規約』のページへ行きます。リンク先のページ最上部で日本語翻訳を選択して、使用上のルールを読んでおきましょう。

06 サイドパネルのAI生成画像をクリック

「スタイル」を設定せずにAI生成をしたので、05の画像にはアニメ調のものも混ざっていました。そこで、今回は「スタイル」を写真に設定して「再生成をする」ボタンをクリック。上の写真のように写真スタイルの画像が生成されました。
サイドパネルの4枚の画像をクリックすると、デザイン面に反映されます。デザインに反映しないと画像として保存されないので、必ずクリックしましょう。

07 デザインに反映したものは画像として保存される

デザインに反映したAI生成画像はCanva内に保存されます。確認方法はホーム画面のプロジェクト→画像から一覧で表示できます。

Check → 99ページ

09 AIを使って画像を自動生成② AI画像生成テクニック

Point 01 人物の手などは苦手／人物以外は得意

楽しそうな犬、
犬種はフレンチブルドッグ

近未来のビル群、
空飛ぶ車が走る高速道路

侍の格好をした柴犬が
剣を構えている

AI画像生成で違和感があまり出ないのは、無機物や風景、動物などのAIの得意分野です。とくに苦手なのは人物の細かいパーツの「指先」や「手」になります。拡大して見ると右写真のように指の本数がおかしかったりします。

Point 02 スタイルで「アニメ」と文章でのアニメ指定

スタイル「アニメ」

文章での指定

Canvaに搭載されているスタイル「アニメ」は、基本的に左側のタッチとなります。スタイルを設定せずに、文章内に「アニメ風」「アニメ」「80年代アニメ風」といった指定を入れた場合は、右側のような、さまざまなタッチで生成されます。

Point 03 スタイル「写真」とスタイル「映画的」

スタイル「写真」

スタイル「映画的」

スタイル「写真」とスタイル「映画的」。違いが分かりにくいですが、「映画的」のほうは、背景が描かれブラーがかかり、動きがあるような画像が生成されています。

Point 04 AI画像使用ルールは日本語で読む

使用ルール表示ページは英語表記ですが、上部に日本語翻訳メニューが表示されます。日本語を選択して「続行する」をクリックしましょう。

Point 05 AI動画生成はベータ版で提供中

動画生成制限
・無料ユーザー　5回
・有料ユーザー　50回／月

タブで分かれて「動画」もありますが、このAI動画生成機能はベータ版です。画像生成と同様の手順で、2〜3秒の動画をAIが自動生成します。

ショートカットキー for Windows

基本ショートカット	
元に戻す	Ctrl + Z
やり直す	Ctrl + Y
保存	Ctrl + S
すべて選択	Ctrl + A
テキストを追加	T
長方形を追加	R
線を追加	L
円を追加	C
リンクを追加	Ctrl + K
空のページを追加	Ctrl + Enter
空のページを削除	Ctrl + Backspace
ツールバーに移動	Ctrl + F1
キャンバスにスキップ	Ctrl + F2

ビューのショートカット	
定規とガイドを切り替える	shift + R
サイドバーを切り替える	Ctrl + /
スクロールビュー	Alt + Ctrl + 1
サムネイルビュー	Alt + Ctrl + 2
グリッドビュー	Alt + Ctrl + 3
プレゼンテーションモード	Alt + Ctrl + P

動画のショートカット	
動画を再生/一時停止	Space
動画をミュート/ミュート解除	M
動画のループ再生	Alt + Ctrl + L

ズームのショートカット	
拡大	Ctrl + 「+」キー
縮小	Ctrl + 「−」キー
実際のサイズに合わせてズーム	Ctrl + 0
全体表示されるようにズーム	Alt + Ctrl + 0
幅全体に合わせてズーム	shift + Ctrl + 0

テキスト編集ショートカット	
フォントメニューを開く	shift + Ctrl + F
検索と置換	Ctrl + F
太字テキスト	Ctrl + B
斜体テキスト	Ctrl + I
下線	Ctrl + U
大文字	shift + Ctrl + K
左揃え	shift + Ctrl + L
中央揃え	shift + Ctrl + C
右揃え	shift + Ctrl + R
テキストの位置調整	shift + Ctrl + J
フォントサイズをひとつ下げる	shift + Ctrl + ,
フォントサイズをひとつ上げる	shift + Command + .
行間隔を狭める	Alt + Ctrl + Down
行間隔を広げる	Alt + Ctrl + Up
文字間隔を狭める	Alt + Ctrl + ,
文字間隔を広げる	Alt + Ctrl + .
テキストを上部に固定	Ctrl + shift + H
テキストを中央に固定	Ctrl + shift + M
テキストを下部に固定	Ctrl + shift + B
番号付きリスト	Ctrl + shift + 7
箇条書き	Ctrl + shift + 8
テキストスタイルをコピー	Alt + Ctrl + C
テキストスタイルを貼り付け	Alt + Ctrl + V

素材のショートカット	
選択した素材を削除	BackspaceまたはDelete
素材のグループ化	Ctrl + G
素材のグループ解除	Ctrl + shift + G
素材のロック	Alt + shift + L
素材を前面へ移動	Ctrl +]
素材を背面へ移動	Ctrl + [
素材を最前面へ移動	Alt + Ctrl +]
素材を最背面へ移動	Alt + Ctrl + [
素材の整列	Alt + shift + T
次の/前の素材を選択する	Tab／shift + Tab

ショートカットキー for MacOS

基本ショートカット	
元に戻す	Command + Z
やり直す	Command + Y
保存	Command + S
すべて選択	Command + A
テキストを追加	T
長方形を追加	R
線を追加	L
円を追加	C
リンクを追加	Command + K
空のページを追加	Command + Return
空のページを削除	Command + Delete
ツールバーに移動	Command + F1
キャンバスにスキップ	Command + F2

ビューのショートカット	
定規とガイドを切り替える	shift + R
サイドバーを切り替える	Command + /
スクロールビュー	Option + Command + 1
サムネイルビュー	Option + Command + 2
グリッドビュー	Option + Command + 3
プレゼンテーションモード	Option + Command + P

動画のショートカット	
動画を再生/一時停止	Space
動画をミュート/ミュート解除	M
動画のループ再生	Option + Command + L

ズームのショートカット	
拡大	Command + 「+」キー
縮小	Command + 「−」キー
実際のサイズズーム	Command + 0
全体表示ズーム	Option + Command + 0
幅全体に合わせてズーム	shift + Command + 0

テキスト編集のショートカット	
フォントメニューを開く	shift + Command + F
検索と置換	Command + F
太字テキスト	Command + B
斜体テキスト	Command + I
下線	Command + U
大文字	shift + Command + K
左揃え	shift + Command + L
中央揃え	shift + Command + C
右揃え	shift + Command + R
テキストの位置調整	shift + Command + J
フォントサイズをひとつ下げる	shift + Command + ,
フォントサイズをひとつ上げる	shift + Command + .
行間隔を狭める	Option + Command + Down
行間隔を広げる	Option + Command + Up
行間隔を狭める	Option + Command,
行間隔を広げる	Option + Command + .
テキストを上部に固定	Command + shift + H
テキストを中央に固定	Command + shift + M
テキストを下部に固定	Command + shift + B
番号付きリスト	Command + shift + 7
箇条書き	Command + shift + 8
テキストスタイルをコピー	Option + Command + C
テキストスタイルを貼り付け	Option + Command + V

素材のショートカット	
選択した素材を削除	Delete
素材のグループ化	Command + G
素材のグループ解除	Command + shift + G
素材のロック	Option + shift + L
素材を前面へ移動	Command +]
素材を背面へ移動	Command + [
素材を最前面へ移動	Option + Command +]
素材を最背面へ移動	Option + Command + [
素材の整列	Option + shift + T
次の/前の素材を選択する	Tab／shift + Tab

\すぐできる!/　\よくわかる!/
ビジネスに活(い)かせる
Canva入門(にゅうもん)
|キャンバ|

2024年2月22日　第1刷発行

著　者　合同会社バクランテ
発行人　永田和泉
発行所　株式会社イースト・プレス
〒101-0051
東京都千代田区神田神保町2-4-7久月神田ビル
Tel.03-5213-4700／Fax.03-5213-4701
https://www.eastpress.co.jp

印刷所　中央精版印刷株式会社

ISBN978-4-7816-2283-5

本作品の情報は、2024年1月時点のものです。情報が変更している場合がございますのでご了承ください。